KB177982

음악이 쓸모를 만났을 때

음악이 쓸모를 만났을 때

발　행 | 2024년 07월 23일
저　자 | 이일찬
펴낸이 | 한건희
펴낸곳 | 주식회사 부크크
출판사등록 | 2014.07.15.(제2014-16호)
주　소 | 서울특별시 금천구 가산디지털1로 119 SK트윈타워 A동 305호
전　화 | 1670-8316
이메일 | info@bookk.co.kr

ISBN | 979-11-410-9656-4

www.bookk.co.kr
ⓒ 이일찬　2024

음악이
쓸모를
만났을 때

이일찬 지음

CONTENT

머리말

음악은 국경 없는 세계어다. 인종과 언어, 세대를 아우르는 소통의 매개다. 나는 음악이라는 옷을 입고 세상과 마주한다. 오케스트라 지휘자로, 밴드 드러머로, 합창 지휘자로. 가요제 무대에서 댄스 리듬을 울리고, 요양원에서 옛 노래를 불러드리는 것도 나다. 기쁨도 슬픔도, 청춘도 늙음도 모두 음악 안에 스며든다. 음악은 우리 인생의 자서전과도 같다.

소년 시절 우연히 만난 오케스트라는 나의 인생 전체를 관통하는 숙명과도 같았다. 드럼은 음악을, 음악은 작곡을, 작곡은 지휘를 불러왔다. 각기 다른 모습이지만 근본은 하나, 바로 소리에 대한 사랑이다. 어떤 옷을 입든, 악기를 잡든 음악을 향한 열정만은 한결같았다.

서로 화음을 이루는 소리를 찾아 지금도 나는 악보와 마주 앉아 있다. 그 소리가 내 삶에, 세상에 또 어떤 울림을 선사할지 너무나 궁금하고 설렌다. 음악에 쓸모를 느끼고 음악으로 쓸모 있는 사람이 되는 것, 평생 꿈꿔온 이상이자 앞으로도 내가 걸어 갈 길이다.

"부족한 필력에 생명력을 불어넣어 주신 정지수 작가님께 감사드립니다."

제1화 음악이 쓸모를 만났을 때

[첫 만남] 오케스트라 음악이 쓸모를 만났을 때

그날의 연주가 지금도 생생하다.

난생처음 오케스트라 공연을 보러 간 날이었다. 날씨가 화창했다.

음악회장은 아름다운 분위기로 가득했다. 거대한 샹들리에가 천장에서 반짝였고, 대리석 바닥이 빛났다. 객석의 의자는 푹신했다. 객석에 앉은 사람들은 여유로운 미소를 짓고 있었다. 고운 한복을 입으신 어머니 옆에는 아버지가 앉아 계셨다. 무대를 화려하게 비추는 수많은 조명이 공중에 매달려 있었다. 수십 명의 연주자가 일사불란하게 오페라 '마술피리'의 한 장면을 연주하고 있었다. 뱀에 쫓기다 기절한 타미노와 파파게노가 처음 만나는 장면이었다. 검은 단발머리의 지휘자가 연주자들 맞은편에 서 있었다. 그가 양손을 휘저을 때마다 연주자들의 손과 입술 역시 긴박해졌다. 지휘자는 온몸으로 음악을 표현하며 작은 디테일 하나라도 놓치지 않으려 했다.

(이 그림은 AI를 사용하여 그린 것입니다.)

지금 생각해보면 꽤 특이한 연주였다. 보통 오페라에서는 오케스트라를 무대 밑이나 뒤에 배치하는데, 이번에는 오케스트라와 배우들이 함께 무대에서 연주했다. 심지어 지휘자가 파파게노 역할의 성악가에게 직접 호리병을 건네기까지 했다. 일반적으로 오케스트라 지휘자는 연기를 하지 않는다. 관객들은 지휘자와 파파게노가 주고받는 연기를 보며 새로운 재미를 느낀 듯했다. 나 역시 그랬다. 지금까지 또렷이 기억날 만큼 인상 깊었던 모양이다.

그보다 더 인상적이었던 건 오케스트라의 연주 소리였다. 여러 악기가 동시에 연주되는 오케스트라는 음색이 거칠 것이라 생각했는데, 실제로 들어보니 입안에서 녹는 푹신한 카스텔라 같았다. 온몸을 포근하게 감싸주는 느낌이었다.

영화 '시네마 천국'에는 잠이 많던 꼬마 토토가 커튼 너머로 처음 영화를 보며 운명적인 이끌림을 느끼는 장면이 나온다. 오케스트라에 반한 첫 순간, 소심했던 내게 음악이라는 친구가 먼저 손을 내밀어준 순간이었다.

좋은 기억을 간직한 채 음악대학에 진학했다. 4학년 때 관현악법 수업의 큰 이벤트는 내가 편곡한 악보를 관현악단이 직접 연주해주는 것이었다. 내가 쓴 악보를 오케스트라가 연주하는 모습을 눈앞에서 볼 수 있다니 엄청 기대됐다. 그도 그럴 것이, 오케스트라 연주를 개인이 혼자 준비하기에는 전혀 쉽지 않은 일이다. 오케스트라 음악을 작,편곡하는 것 외에도 제대로 된 편성의 오케스트라 단체를 직접 섭외해야 하고, 악기 연주자들을 잘 이끌 수 있는 능력과 음악에 대한 깊은 이해를 갖춘 지휘자도 섭외해야 한다. 그뿐 아니라 많은 사람이 원활하게 연습할 공간을 마련하고 팀파니 같은 대형 악기들도 빌려와야 한다. 수업이 아니었다면 개인이 하기엔 거의 불가능한 작업이었기에 몰려오는 졸음을 참으며 악보에 정성을 쏟았다.

드디어 실습 날! 심혈을 기울여 준비한 편곡 악보를 들고 관현악 합주실로 들어갔는데, 오랫동안 공들인 오케스트라와의 첫 만남은 악몽에 가까웠다. 괴팍한 지휘자와 움츠러든 단원들! 한 페이지에 몇 마디밖에 되지 않는 악보임에도 음악의 분위기와 음색을 표현하기 위해 관현악 기법을 연구하고 한 음 한 음 조심스레 기보했건만, 악보를 나누어주자마자 혼나기 바빴다. 냉랭한 분위기가 감도는 합주실에서 제대로 된 연주는커녕 긴장한 탓에 질문조차 어려웠다. 왜 야단을 맞아야 하는지, 그 이유조차 모른 채 허무하게 끝난 연주 실습이었다. 대체 뭐가 그리 잘못된 걸까? 내가 놓치고 있는 게 뭘까? 의문이 들었다.

(이 그림은 AI를 사용하여 그린 것입니다.)

뒤숭숭한 마음으로 곱씹어보았다. 노발대발하던 지휘자의 모습이 생생했다. 괴팍한 지휘자는 대체 왜 그렇게 화가 났던 걸까? 나는 그의 시선으로 악보를 들여다보기 시작했다. 그렇게 며칠을 보내던 어느 날 문득 깨달음이 스쳐 지나갔다. 작곡가로서 지켜야 할 기본적인 약속들을 놓치고 있었던 것이다. 작곡가가 져야 할 책임감이 얼마나 막중한지 나는 그때까지 제대로 이해하지 못하고 있었다. 수십 명의 연주자가 소중한 시간을 내어 내 작품을 연습하고 연주하는데, 그들과 원활히 소통하려면 세밀하고 명확한 표기법을 지키는 것은 기본이다. 작곡가의 입장에서 벗어나 연주자의 관점에서 악보를 보니 고쳐야 할 부분이 한두 군데가 아니었다. 자기중심적 사고에서 벗어나 상대방의 처지에서 생각하고 배려하는 자세가 필요했는데 그런 능력이 부족했다. 작곡가의 실수로 인한 음악적 불균형은 물론, 조그마한 표현 하나 때문에 음악 전체의 조화가 무너질 수도 있다. 그로 인한 시간적, 금전적 손실은 전적으로 작곡가의 책임이다. 괴팍한 지휘자가 두렵기는 했지만, 그 경험 덕분에 프로로서 갖춰야 할 마음가짐과 태도를 배울 수 있었다.

지금의 나는 전문 오케스트레이션 작곡가로 보람차게 살아가고 있다. 매년 50곡이 넘는 오케스트라 편곡도 틈틈이 하고 있다. 돌이켜보면 까다로웠던 그 지휘자와의 만남이 내겐 커다란 행운이었다.

(이 그림은 AI를 사용하여 그린 것입니다.)

* 모차르트의 오페라 '마술피리'에 등장하는 새잡이로 유쾌하고 익살 맞은 캐릭터, 자신의 짝을 찾아다니며 여러 가지 모험을 겪는다.

[두번째 만남] 드럼이 쓸모를 만났을 때

　서울대학교 지휘과 교수셨던 친척 어른과 피아노 선생님이셨던 어머니 늘 찬양을 부르셨던 아버지 덕분에 음악은 늘 나와 가까이 있었다. 모두가 어려웠던 그 시절, 흔치 않은 피아노도 집에 있어 일찌감치 악기를 배울 만도 했을 텐데, 극소심했던 탓에 매주 뵙던 교회 찬양대 지휘자 권사님께서 운영하셨던 학원에 다니는 것조차 엄두가 안 났다. 방안에 걸려 있던 모차르트, 베토벤 초상화의 눈빛은 왜 그리 무서웠는지, 겁이 많아 피아노를 제대로 배우지 못했다. 늦깎이 작곡과 입시생으로서 제일 후회되었던 게 어린 시절 피아노 교육을 배우지 않은 것이었다.

(이 그림은 AI를 사용하여 그린 것입니다.)

중학교 2학년 때 사춘기가 찾아왔다. 은둔형 외톨이었던 나는 친구와 노는 걸 좋아하고 엑스 재팬, 본조비에 심취한 '록 마니아'가 되었다.

'헤비 록 (Heavy Rock)' 음악에 빠져 있던 시절 가장 동경한 가수는 X 재팬의 '요시키'였다. 그는 다재다능했다. 건반을 연주할 줄 알았으며 동시에 뛰어난 드러머이기도 했다.

요시키를 떠올린다.

당시 희귀했던 투명 드럼, 그 앞에 요시키가 서 있다.

투명 드럼에 물을 뿌리고 연주를 시작한 요시키. 스틱이 날아들 때마다 사방으로 튀어 오르던 물방울, 그것을 비추던 화려한 조명, 윗옷을 벗고, 긴 머리를 휘날리며 드럼 연주에 몰두한 그의 모습은 충격적이었고 신선했다. 드럼 옆에는 건반이 있어, 드럼 연주 중간 자유자재로 건반을 치던 요시키의 모습은 내게 큰 영감을 주었다.

그래서였을까? 교회 찬양대에서 드럼을 연주하던 형의 모습이 유독 멋져 보였다.

요시키와 형은 닮은 구석이 많았다. 요시키처럼 머리가 길었고 가죽점퍼와 검은색 바지를 주로 입고 다녔다. 형은 평소에 사람을 많이 만나는 편도 아니었고 말수도 없었다. 교회에서 형과 이야기를 나눠본 적도 별로 없었다. 대체로 조용한 인상이었다. 드럼을 다룰 때만 빼고. 스틱만 잡았다 하면 형은 완전히 다른 사람이 되어있었다. 형의 손에서 스틱이 춤출 때마다 머리카락도 박자에 맞춰 휘날렸다. 형의 드럼은 생물 같았다. 살아 움직이는 것 같았고 손이 움직일때마다 쉴 새 없이 리듬이 바뀌었다. 서정적이다가, 격정적이다가 이내 차분해지거나 더 격렬해지면서 듣는 이의 마음을 휘어잡았다. 형은 요시키 같았다. 요시키처럼 온전히 자신과 드럼에 몰입하고 있었다. 그 모습이 멋져 보였다.

(이 그림은 AI를 사용하여 그린 것입니다.)

정신을 차려보니 나도 모르게 형에게 드럼을 가르쳐 달라

부탁하고 있었다. 형은 흔쾌히 알겠다고 했다. 그렇게 처음으로 스틱을 쥐었다. 두근거렸다. 몇 번 배우자마자 나는 드럼에 매혹되었다. 몇 날 며칠이고 드럼만 쳐서 손에는 굳은 살이 뱄다. 아무도 없는 시간을 찾아 한적한 교회에서 밤새 킥과 스네어를 두드렸다.

매일 드럼을 두드렸던 게 도움이 된 걸까? 내성적이었던 성격은 어느덧 외향적으로 바뀌어 있었고 덕분에 이전에는 엄두도 내지 못했던 교회 중고등부의 드럼 반주도 맡게 되었다. 합주는 생각보다 어려웠다. 나의 페이스와 다른 악기들의 페이스가 어긋날 때가 많았다. 나 혼자 드럼을 두드릴 때와 달리 다른 이들의 템포에도 신경 써야 했다. 그 덕에 사람들과 소통하며 관계를 형성하는 방법을 자연스럽게 배울 수 있었다.

드럼은 다양한 악기들과 함께 연주하는 합주 악기이다. 리듬과 속도로 여러 악기를 리드하면서 음악의 분위기를 주도하는 악기이다. 클라이맥스 표현할 때에는 심벌을 쳐 연주하는 사람과 듣는 사람 모두 희열을 느끼게 하기도 한다. 그러나 악기 중 가장 큰 소리를 내기 때문에 나의 박자에만 급급해 연주하면 음악이 아닌 소음이 돼버리고 만다. 그래서 조화로운 합주를 위해서는 타인의 악기에도 섬세하게 귀 기울이는 것이 필수적이다. 타인의 박자와 나의 박자를 맞춰가며 나는 자연스레 사람들과의 소통하는 법을 알게 되었다. 드럼 덕에 나와 타인의 감정에 동시에 귀 기울일 줄 아는 귀를 갖게 되었다.

유난히 길었던 중학교를 졸업하고 고등학교에 입학하던 해, 학교에 밴드부가 결성되면서 드럼밖에 몰랐던 나는 밴드에 첫 드러머로 합류할 수 있게 되었다.

학교에서도 첫 밴드부 개설 성과에 대한 기대가 있었는지 악기와 연습 장소를 아낌없이 지원해주었고 이런 분위기 덕분인지 실력 좋은 끼 많은 밴드부원의 합류로 어벤저스 밴드 팀이 탄생했다. 우리는 강서구 가요제를 목표로 연습에 매진했다.

강서구 가요제는 대규모 야외무대에서 성대하게 개최되었다. 방송인 박소현이 사회를 보고 구청장은 표창까지 내걸었다. 우리 밴드부는 조용필의 '여행을 떠나요'와 아기공룡 '둘리' 주제가를 밴드 음악으로 편곡해 참가했다. 참가자들을 응원하기 위해 또는 유명 연예인을 보기 위해 오페라는 모여들었다. 하도 무대가 크다보니 오히려 무대 자체는 긴장이 안 되었다. 생애 첫 티브이에서나 보던 연예인을 가까이서 보게 되었다는 게 되려 흥분되고 신기했다.

아낌없는 지원 덕분이었을까? 밴드부의 활약은 대단했다. '강서구 가요제'에서 밴드가 처음으로 대상을 받는 이변이 일어난 것이다. 그 덕에 우리는 강서구를 대표하여 서울시 밴드 경연 대회에도 출전하는 영예를 누리게 되었다.

드럼을 통해 내 인생에 처음으로 성취감과 화려한 성공의 맛을 볼 수 있었다. 강서구 흥사단에서는 매주 토요일 여의도 공원에서 공연할 수 있도록 버스킹 트럭도 후원해주었다. 그때 나는 처음으로 드러머가 되고 싶었다. 온몸에서 자신감이 뿜어져 나왔다. 이대로라면 조만간 '요시키'처럼 유명한 드러머가 될 수 있을 것 같았다. 고 3이 가까워지면서 진학과 진로 선택에 시간이 다가왔지만 부모님께 말씀드리기 쉽지 않았다. 당시 교회 성직자이셨던 부모님은 교회 일로 적지 않은 속 앓이를 하고 계셨고 집안 분위기도 그다지 좋지 않았다. 나름대로 작전을 짰다. 여의도 한강 공원 공연 날 가족들을 초대해 공연을 보여 드리고 기뻐하시는 부모님 앞에서 드러머가 되겠노라고 선언한 것이다. 좋은 반응을 기대했는데 웬걸 반대에 부딪혔다.

(이 그림은 AI를 사용하여 그린 것입니다.)

피아노 선생님이셨던 어머니와 찬양 부르기를 즐기시던 아버지 두 분 다 음악에 조예가 있으셨기에 당연히 허락해 주실 거라 생각했는데 착각이었다. 음악으로는 먹고 살기 힘든데 하고 많은 것 중에 왜 하필 딴따라가 되려고 하느냐며 결사반대하시는 부모님과 기나긴 싸움을 시작하게 되었다.

포기할만도 한데 너무 멀리 온 걸까? 이미 드럼을 통해 성취감의 맛을 본 나는 다른 길은 눈에 들어오지도 않았다. 반드시 드러머가 되겠다는 생각뿐이었다.

부모 자식 간 속앓이하는 과정에서 자식 이기는 부모 없다고 부모님께서는 정녕 드러머로서 음악을 하고 싶다면 먼저 4년제 음악 대학을 가라고 조건을 거셨다. 음악을 할 수 있다는 기대를 하고 준비했지만 늘 막막함이 뒤따랐다. 지켜보시던 어머니께서 안타까우셨는지 음대 교수이신 친척 어른께 조언을 구했다. 현실적으로 음대에 진학하려면 작곡과를 노려보는 게 가장 확률이 높아 보였다. 드럼을 반대하시는 부모님의 의지가 완강해 악기 연주로는 대학을 꿈꿀 수 없었고, 보컬로 입시를 준비하는 것보다는 이론 공부와 피아노 한 곡을 외워서 치기만 하면 되는 작곡에 승부를 거는 게 승산이 높아 보였기 때문이다. 나는 드럼을 잠시 내려놓고 늦깎이 작곡가 지망생이 되어 입시 경쟁에 뛰어들었다.

호기롭게 작곡 공부를 시작하고 4년제 대학들 입시 요강을 들여다보니 현실을 직시할 수 있었다. 대학은 두 종류였다. 지금 실력으로 도전해볼 만한 대학들과 도저히 붙을 수 없을 것 같은 대학들로 나뉘었다. 나는 갈 수 있는 최고의

대학에 진학하는 것을 목표로 삼고 공부하기 시작했다. 목표가 생기자 작곡 공부도 탄력을 얻었다. 매일 부족한 부분을 체크하고 부지런히 수정했다. 한계에 부딪힐 때도 있었지만 목적의식이 분명했기에 힘든 일들도 훌훌 털고 일어날 수 있었다. 철없던 사춘기 모습을 벗고 성숙한 '인간'으로 '변태'되어 가는 소중한 시간이었다.

여러 번의 도전 끝에 나는 목표로 하던 4년제 대학에 입학하게 되었다. 그렇게 작곡가의 길을 걷게 되었지만 드러머로서의 활동 또한 계속 이어나갔다. 대학교 2학년 시절, 과 동기 후배들과 밴드를 결성하여 '유재하 가요제'에 참여하기도 했다. 드럼은 지금도 나의 친구이자 멋진 취미 생활이다.

음악적으로 볼 때 드럼은 'feeling'이 중요한 악기이다. 다양한 악기들이 모여있는 세트 악기들인 만큼 드러머의 실력과 음악성에 따라 다양한 음악적 표현이 가능하기 때문이다. 빠르고 신이 나는 곡을 연주한다면 클라이맥스에 심벌로 정점을 찍을 수도 있고 느리고 서정적인 곡을 연주한다면 라이드 심벌의 은은한 사운드로 분위기를 연출할 수도 있다. 드러머의 재량에 따라 연주의 고점과 저점이 극명하게 갈리기에 음악을 몸으로 완전히 느끼고 머리로 완벽하게 이해하는 드러머일수록 좋은 연주를 펼칠 확률이 높다. 세계적인 음악 프로듀서 중에는 드러머 출신이 많은 이유도 여기에 있을 것이다. 드럼으로 음악에 입문한 덕에 나 역시 그 박자감을 살려 비트 작곡을 제법 잘 해내게 되었다. 음악적 감각을 몸으로 체득한 덕분에 프로듀서로서의 기본 자질을 갖출 수 있었다. 요즘은 요시키처럼 건반도 다루는 프로듀서이자 드럼 강사로 활동하고 있다. 다재다능함을 살려 합주 시간에 진행하는 드럼 수업으로 돈도 솔찬히 벌고 있다. 다양한 음반에 드럼 세션으로 참여하기도 하고 악기 판매와 조율을 병행하기도 하며 드럼의 쓸모를 맘껏 발휘하는 중이다.

진학 문제로 고민하던 시절 부모님과의 타협 없이 드러머로만 직진했다면 현재 나는 어떤 음악가가 되었을까? 지금은 AI가 음악을 분석해 드럼을 자동으로 연주해주는 시대이다. '마우스 드래그 몇 번으로 마음껏 드럼 비트를 만들 수 있고, 값비싼 메이커 드럼 소리처럼 리얼 믹싱된 가상 드럼 악기 소리가 판치는 디지털 시대에 드럼 스틱만 붙잡고 있었다면 지금의 생각과 자존감을 유지하며 살 수 있었을까?

(이 그림은 AI를 사용하여 그린 것입니다.)

오케스트라 음악을 만나 편곡가로, 드럼을 만나 프로듀서와 드럼 강사로, 때론 연주자로 살 수 있었던 건 다양한 모습의 음악을 반갑게 맞이하고 기꺼이 손 내밀어 친구가 되었기 때문 아닐까?

음악에 있어서는 모든 경험이 소중하다고 생각한다. 어떤 음악가가 되기 위해 하나를 포기하기보다는 직면한 문제에 우선순위를 정하고 하나씩 해결해 나가면서 음악적 경험은 모두 가지고 가는 게 더 현명하기 때문이다.

그 경험이 어떤 경험이든 자신에게 큰 도움이 될 것이라고 믿는다.

(이 그림은 AI를 사용하여 그린 것입니다.)

[세 번째 만남] 작곡이 쓸모를 만났을 때

 대입에 연속 도전하며 3년 만에 목표했던 대학에 합격할 수 있었다. 늦깎이 신입생인 만큼 남들보다 더 열심히 해야겠다고 각오했다. 굶주린 하이에나가 먹이를 찾듯 무엇을 할까 찾던 중 우연히 조교실 앞 게시판에 붙어 있던 과천시립예술단 합창 창작곡 공모를 보았다. 그동안 작곡이라고 해봐야 피아노 입시곡만 써본 내가 한 번도 써 보지 않았던 합창곡을 쓰기 위해 먼저 도서관에서 다양한 합창 악보들을 섭렵했다. 전략적으로 흔한 외국풍 합창이 아니라 한국적인 리듬과 역사적 시인의 작품을 가사로 사용하여 국악 풍의 합창곡을 쓰면 당선될 가능성이 높을 거라 생각했다.

 처음 작곡하는 합창곡이라 피아노로 한 음씩 짚어가며 악보에 옮겼다. 하루에 5시간씩 꼬박 매달려 콩쿠르 곡을 완성해 나갔다. 드럼을 처음 배울 때처럼 작곡에 푹 빠져들었다. 급하게 제출 마감일에 맞춰 곡을 보내고 '첫술에 배부를 순 없지'라며 스스로를 위로했다. 발표일, 주최 측에서 연락이 왔다. 믿어지지 않았다. 내가 입상자라니! 골방에 틀어박혀 심혈을 기울여 완성한 첫 합창곡 '나비'가 첫 작곡 콩쿠르 입상이라는 쾌거로 날아든 것이다.

아들 걱정에 마음고생이 심하셨던 부모님도 시상식 날 상을 받는 아들을 보며 환하게 웃으셨다. 입상 특전으로 첫 작품료도 받게 되었고, 여성 시립합창단에서 내 곡을 연주할 기회도 얻었다. 작곡을 전공하신 지휘자님이 연습 과정을 친절히 도와주셨다.

(이 그림은 AI를 사용하여 그린 것입니다.)

실전 경험이 없으면 깨닫기 어려운 합창 작곡의 노하우를 가르쳐 주신 것이다. 적절한 겹음정의 사용으로 목소리에 신비롭고 긴장감 넘치는 울림을 줄 수 있다는 사실을 배웠다. 그 비법을 되새기며 시립예술단 연습실 피아노에 앉아 콩쿠르 곡을 가다듬었고, 정기 연주회에서 무사히 초연할 수 있었다.

골방에서 작곡한 내 곡이 훌륭한 연주자들에 의해 연주가 되었을 때의 그 뿌듯함과 행복감이란! 이 맛에 작곡하는구나! 지금도 여전히 그때의 감동이 느껴질 만큼 벅찬 감동의 순간이었다.

작곡의 매력과 수상의 맛을 본 나는 대학 생활 내내 국내의 모든 작곡 콩쿠르에 작품을 출품하였고, 아버지께서 써 주신 가사에 음률을 붙인 작품이 대한성공회 주최 교회 음악 작곡 콩쿠르에 입상하면서 인성 음악 전문 작곡가로 본격적인 걸음을 내디딜 수 있었다.

욕심은 끝이 없다고 했던가? 나는 점점 작곡 콩쿠르에 집착하게 되었다. 입상하지 못하면 몇 날 며칠 속앓이하며 보내기 일쑤였다. 이런 나의 절실함을 하나님이 알아주셨을까? 대학교 4학년 지도 교수님의 추천으로 나간 '대한민국 가곡작곡콩쿠르'에서 작곡 '대상'을 거머쥐었다. 이를 계기로 심사 위원이었던 '그리운 금강산'을 작곡하신 최영섭 선생님과 이안삼 작곡가 선생님과 만남을 갖게 되었고 전문 작곡가로 발돋움할 수 있게 되었다. 입상 특전으로 내 작품이 꿈의 무대인 세종문화회관에서 연주되는 영광도 누릴 수 있었다. 이 커리어는 내가 프로 음악가로 활동하는데 가장 큰 밑거름이 되어 주었다.

기성 작곡가로 데뷔한 이후 나는 장르 구분 없이 어떤 작품이든 의뢰가 들어오면 작업을 했다. 클래식 작곡가가 다소 기피하는 트롯트 음악 작업도 의뢰만 들어오면 작업을 했다. 페이퍼 작곡만 한 나에게 음원을 직접 만들어 달라는 의뢰가 들어오면 바로 미디 장비와 프로그램을 구매하고 밤새워 사용법을 공부하여 의뢰한 분들이 어떤 방식을 원하든 그분들의 취향을 존중하며 창작 활동을 했다. 직업 음악가로서 나의 가치 기준을 단정 짓지 않으려 했다. 작업 의뢰가 들어오면 돈 생각보다 퀄리티에 집중하며 최대한 좋은 작업물이 나올 수 있도록 심혈을 기울였다. 결과적으로 나의 가치는 점차 상승하였고 그럴수록 더 많은 작업 의뢰가 들어왔다. 선순환이었다. 실전 경험이 쌓여 정확하고 빠르게 작업할 수 있는 역량을 보유하게 되었다.

(이 그림은 AI를 사용하여 그린 것입니다.)

그래서일까? 젊은 예술인들과의 교류 속에서

"저는 100만 원 이하는 연주 안 해요!" 라고 말하는 젊은 음악가의 말이 의아하게 느껴졌다.

어떤 기관이든 의뢰자든 예산은 이미 정해져 있을 텐데 기회를 스스로 차버리는 듯 느껴졌다. 그들의 생각에도 일리가 없는 건 아니지만, 자기객관화를 하지 않은 채 본인의 요구만 내세우는 자세는 현명해 보이지 않았다. 내가 대체 불가능한 작곡가가 된다면 필요한 누군가 어떻게든 섭외하려 하지 않을까?

세계 최강 드러머를 꿈꿨던 나는 대입이라는 과정을 거쳐 작곡과에 진학하게 되었고 어떤 작품이든 써내는 작품 활동을 통해 세계에서 가장 쓸모 있어질 과학 작곡가를 꿈꾸며 멜론 등에 앨범을 내며 뮤지컬 음악과 광고 음악을 작곡하여 적지 않은 작곡료를 받으며 살고 있다.

오랫동안 처절히 입시 작곡 공부한 탓이었을까? 음대입시 합격 잘 시키는 전문 작곡 레스너로도 잘 알려져 매년 많은 학생을 가르치면서 살고 있다.

다양한 음악 경험을 토대로 진로와 진학 문제의 해답을 제시하려 노력했고, 지역의 진로 강사로 위촉되어 관내 중, 고등학교 진로강의 & 진학 강의를 통해 학교 현장에서 학생들을 만나 같이 고민하고 해결점을 찾기 위해 노력했다.

이러한 활동이 알려지면서 서울 소재 유명 예술대학에 초빙 교수로 위촉 및 직업전문학교 강사, 음악부장으로도 위촉되어 활동하기도 하였다. 나의 작품을 필요로 하는 일이라면, 경험을 통해 얻은 나의 지혜가 필요한 곳이라면 물불 가리지 않았던 작곡가의 삶.

쓸모가 작곡을 만났을 때! 나의 작품을 찾는 분들이 많은 지금 난 행복한 작곡가라고 믿고 있다.

(이 그림은 AI를 사용하여 그린 것입니다.)

[네 번째 만남] 지휘가 쓸모를 만났을 때!

작곡과에 진학한 후 여러 활동을 했다. 다수의 콩쿨에서 만족할만한 결과를 얻었고 그 덕에 대학생 신분임에도 여러 군데에서 위촉비를 받으며 작품 활동을 펼칠 수 있었다. 경력은 차곡차곡 쌓여갔지만, 미래에 대한 불안감은 사라지지 않고 갈수록 커져만 갔는데 불안정한 수입 탓에 앞으로의 삶을 제대로 꾸려나갈 수 있을 거란 확신이 없었기 때문이다. 졸업을 앞두고 나는 선택의 기로에 서게 되었다. 두 가지 옵션이 있었는데 하나는 미국 유학이었고, 하나는 학원 운영이었다.

(이 그림은 AI를 사용하여 그린 것입니다.)

경제적인 문제를 고려했을 때 유학보다는 학원을 운영하는 게 더 현실적인 선택 같았다. 그당시 학원 운영은 어디까지나 음악 공부를 이어나가기 위한 수단에 불과했기에, 작곡보다 더 나은 수익을 얻을 방법이 뭐가 있을지 계속 모색해야 했다. 그때 눈에 들어온 게 지휘였다. 서울대 지휘과 교수셨던 친척 어른과 주변 지휘자들은 내 눈에 경제적으로 안정되어 보였고, (지금 생각해보면 그들의 실성은 안정과 거리가 멀었지만…) 나 역시 안정된 미래를 꿈꾸었기에 당시 합창지휘로 주목받던 대학원 지휘과에 진학하게 되었다.

지휘 공부를 하면서 처음 지휘하게 된 곳은 '일평생 찬양하라'는 내 이름의 뜻처럼 교회 찬양대였다. 지휘자로서의 기본 소양을 배우는 데에는 찬양대만큼 좋은 곳도 없었다. 제각각의 소리를 조화롭게 하나의 하모니로 만들어 가는 지휘자의 역할은 단원의 신뢰를 얻지 못하면 할 수 없는 일이었기에 한 분 한 분 섬기는 마음으로 지휘했다.

하나님의 은혜였을까? 치열한 경쟁을 뚫고 찬양대 지휘자리를 얻어낼 수 있었다. 2년마다 자리를 옮겨가며 소규모 찬양대부터 대형 교회 찬양대까지 다양한 곳에서 지휘 경험치를 쌓을 수 있었다.

교회 찬양대 지휘로 자신감이 붙은 나는 본격적으로 직접 운영하는 합창단을 만들고자 했다. 마침 성악 지도자인 아내의 클래스원 분들과 합창단 활동을 원하셨던 학부모님을 모시고 '라스텔라싱어즈합창단'이 창단되었다. 초창기에는 단원이 적어 가족들과 지인들을 설득해 함께 연습을 진행했다. 즐거움 속에서 합창 연습을 이어나갔다.

(이 그림은 AI를 사용하여 그린 것입니다.)

음악을 통해 나눌 수 있는 가치 중 가장 큰 것은 소통이었다. 각자의 개성이 담긴 고유의 목소리가 모여 조화로운 하모니를 완성할 때의 기쁨은 거대한 것이어서 하나의 노래가 시작되고 끝날 때마다 단원들은 함께 전율하고 함께 감격했다. 가끔 서로의 고민과 생각을 털어놓기도 했는데 단원들은 그럴 때마다 공감과 위로를 아끼지 않았다. 음악을 통해 위로와 행복을 나누는 기쁨을 배우며 합창단의 소리는 울림과 진정성을 갖게 되었고, 지휘하며 몇 번 울컥할 정도로 아름다운 하모니가 합창단 연습실을 가득 메웠다.

 나이 어린 젊은 지휘자를 무시하지 않고 잘 섬겨 주셨던 단원분들 덕분에 라스텔라싱어즈는 계속 발전할 수 있었고, 라스텔라싱어즈의 활동범위 역시 갈수록 넓어졌다. 지역 활동을 꾸준히 이어가던 중 단원분들의 제보로 조선일보 방송에 출연하게 되었다. 하모니에 담긴 진심이 느껴졌는지 다른 방송사에서도 섭외 전화가 쏟아졌고 국회 방송이나 KBS '노래가 좋아'에서 아름다운 합창을 선보일 수 있었다. 전국 곳곳을 분주히 누비며 라스텔라싱어즈는 선한 에너지를 퍼뜨려나갔다. 지역 축제부터 요양원, 군부대 위문 공연까지 의미 있는 곳이라면 어디든 달려가 기쁨과 위로를 나누었다.

 라스텔라싱어즈의 성공에 뿌듯해하던 때 대한항공 자회사인 ㈜한국공항에서 연락이 왔다. 사내 합창단을 조직해 배우고 싶은데 연습 장소와 지도를 부탁하는 문의였다. 마다할 이유가 전혀 없었던 나는 흔쾌히 승낙

했고 온 가족이 하나가 되어 합창 수업을 열정을 쏟아 진행했다. 당장의 이익을 따지기보다 지휘를 할 수 있는 합창단과 경력을 쌓을 수 있는 곳이 있다는 것이 가장 중요하다는 생각으로 열심히 지휘했다.

합창의 영향력은 대단했다. 라스텔라싱어즈 단원 중 항공사 직원 한 분이 발품을 팔아 김포 공항 상주 직원들을 모아 메이필드호텔 협찬을 받아내 '김포공항합창단'을 창단하신 것이다. 합창단은 나를 첫 지휘자로 위촉해주었는데, 이는 내가 훗날 항공문화예술발전 공을 인정받아 표창까지 받게 된 첫 번째 계기였다.

김포공항합창단은 매주 30여 명의 단원분들이 퇴근후 메이필드호텔스쿨 강당에 모여 노래로 행복을 나누었다. 피아노가 없어 무거운 신디사이저를 매주 옮겨야하는 고충도 있었지만 매 연습 설렘과 감사함으로 진행했다.

합창의 행복은 전염성이 강했다. 김포공항 합창단 출신 한국공항공사 직원 한 분이 본사 직원들과 협력사 직원들을 모아 '한국공항공사연합합창단'을 창단한 것이다. 초대 지휘자로 위촉되어 공사의 지원을 받게 됨에 따라 피아노가 마련된 훌륭한 연습 환경이 갖춰졌다.

한국공항공사 합창단 활동은 값진 경험의 연속이었다. 한국공항공사는 세계 최고 수준의 공항을 운영하는 만큼 해마다 항공 관련 대형 행사를 열곤 했다. 특히 메이필드호텔에서 개최되는 '대한민국 항공의 날' 행사는 항공업계 종사자들의 축제나 다름없었다. 업계 관계자, 정부 인사, 공군 군악대 등이 모두 모인 자리였다.

 그들 앞에 펼칠 연주를 지휘하는 것이 나의 역할이었다. 워낙 스케일이 큰 행사인데다가 무대 자체도 규모가 어마어마해서 제법 긴장되었지만, 지휘자로서 그간 쌓아온 경험을 믿고 거듭 연습했다. 그래서일까? 항공사 사내 합창단과 한국공항공사 연합 합창단과 함께했던 연합 지휘는 내게 소중한 경험으로 남아 있다. 행사를 앞두고 공항공사 '스카이홀'에서 두 합창단이 모여 연습했을 때에는 지휘의 짜릿함을 느낄 수 있었는데 그들의 하모니에 담긴 즐거움과 행복이 내게도 고스란히 느껴졌기 때문이다.

(이 그림은 AI를 사용하여 그린 것입니다.)

성공적으로 무대를 마친 후 창립기념일 같은 공항공사의 다른 행사에도 지휘자로 참여하게 되었다. 코로나 팬데믹 전까지 끈기 있게 활동한 덕에 당시 한국공항공사 사장 명의로 표창도 받고 항공문화발전에 기여했다는 인정 또한 받을 수 있게 되었다.

뿐만 아니라 대한민국의 항공 안전을 책임지는 한국공항공사 신입 사원 교육 강사로 위촉되어 강연자의 꿈을 꾸는 계기도 마련할 수 있었다. 갑작스러운 코로나 팬데믹으로 항공 쪽 합창 활동은 전면 중단되었고 3년 동안 나의 합창도 멈춰버렸다. 코로나가 끝나면 다시 시작할 것이라는 기대도 있었지만 일년 일년 지나면서 기대감은 점점 줄어들었다. 주요 단원분들의 퇴사 소식까지 들려와 천천히 마음을 정리하던 중 포털 기사에서 '청년 합창단이 답이다.'라는 대전의 한 정치인의 기사를 보았다.

(이 그림은 AI를 사용하여 그린 것입니다.)

청년 예술가의 지역 이탈에 대한 대안이 필요하다는 기사였는데 내용은 대략 이러했다. 시립합창단 소속 성악가의 경우 청년 성악가들이 얻을 수 있는 그나마 안정적인 직업 중 하나인데 위촉되기 너무 어려워서 경쟁에서 밀려난 청년 예술가들이 지역을 떠난다는 것이었다. 이를 막기 위해 제시된 방안은 청년 예술 육성이었다. 지역에서 자체적으로 청년 합창단을 운영하고 아낌없이 지원하여 청년들이 마음 놓고 예술 활동에 매진할 보금자리로 만들자는 게 기사의 논조였다. 매우 현실적인 대안이라 생각했다. 예술가는 무대를 통해 자신의 음악적 재능을 인정받을 기회가 주어져야 기량을 만개할 수 있기 때문이다. 이에 나는 청년합창단 창단 제안서 한 장을 정성스럽게 써서 김포시에서 운영하는 청년 공간에 청년합창단 제안서를 메일로 보냈고 음악가 출신이었던 센터장과의 만남이 곧바로 성사되면서 김포시 청년합창단 지휘자로 활동을 시작할 수 있게 되었다.

(이 그림은 AI를 사용하여 그린 것입니다.)

마침 경기도에서 가장 큰 규모로 김포에서 처음 열리는 제 1회 '청년의 날' 의미있는 공연을 위해 김포 청년들과 청년 예술가들을 모집했다. 김포시 청년 합창단이 준비한 컨셉은 '뮤지컬 합창'이었다. 위대한쇼맨의 '디스이즈미'와 러브홀릭스의 '버터플라이'를 준비했는데 둘 다 청년들의 목소리를 담아내면서 관객들도 들어봤을법한 작품이라는 공통점이 있었다. 거기에 밴드 사운드와 역동적인 안무를 추가하여 청년 특유의 거칠고 자유분방한 에너지를 표현하고자 했다. 의상에도 신경을 썼다. 합창단이라면 으레 드레스나 턱시도를 떠올리기 마련인데, 내 생각에 그런 옷차림은 자유분방한 청년의 이미지와는 거리가 멀어 보였다. 청바지에 원색 티셔츠, 머플러 등으로 젊음을 강조했더니 확실히 달라 보였다.

그날의 공연은 복장만큼이나 신선한 충격을 안겼다. 최상의 컨디션으로 무대를 완성했고, 객석에서는 열광의 함성과 박수갈채가 쏟아졌다. 무척 보람 있었다.

그 이후로도 청년합창단은 꾸준히 지역 공연을 이어 갔다. 청년음악회는 물론, 주민 복지관 위문 공연, 외국인주민지원센터 초청 공연 등 다채롭게 펼쳐졌다. 이를 계기로 여러 기관 관계자분들과 인연을 맺게 되었고, '23년도'에는 창작 뮤지컬 '풀 라이프(Full Life)'의 기획과 작곡을 맡게 되는 영광을 누리기도 했다.

(이 그림은 AI를 사용하여 그린 것입니다.)

음악은 국경 없는 세계어다. 인종과 언어, 세대를 아우르는 소통의 매개다. 나는 음악이라는 옷을 입고 세상과 마주한다. 오케스트라 지휘자로, 밴드 드러머로, 합창 지휘자로. 가요제 무대에서 댄스 리듬을 울리고, 요양원에서 옛 노래를 불러드리는 것도 나다. 기쁨도 슬픔도, 청춘도 늙음도 모두 음악 안에 스며든다. 음악은 우리 인생의 자서전과도 같다.

소년 시절 우연히 만난 오케스트라는 나의 인생 전체를 관통하는 숙명과도 같았다. 드럼은 음악을, 음악은 작곡을, 작곡은 지휘를 불러왔다. 각기 다른 모습이지만 근본은 하나, 바로 소리에 대한 사랑이다. 어떤 옷을 입든, 악기를 잡든 음악을 향한 열정만은 한결같았다.

서로 화음을 이루는 소리를 찾아 지금도 나는 악보와 마주 앉아 있다. 그 소리가 내 삶에, 세상에 또 어떤 울림을 선사할지 너무나 궁금하고 설렌다. 음악에 쓸모를 느끼고 음악으로 쓸모 있는 사람이 되는 것, 평생 꿈꿔온 이상이자 앞으로도 내가 걸어 갈 길이다.

(이 그림은 AI를 사용하여 그린 것입니다.)

[다섯 번째 만남] 공연기획이 쓸모를 만났을 때!

 내 작품을 유독 사랑해 주신 시인 선생님의 부탁으로 국회에서 작품 연주를 하게 되었다. 처음 가 본 국회는 몸과 마음이 저절로 숙연해질 정도로 위엄이 있었다. 대한민국의 살아 있는 역사의 한 장소인 이곳에서 내 음악으로 공연하면 좋을 것 같다는 생각이 들었다. 공연을 마치자마자 행사를 주최하신 출판사 대표님께 찾아가 국회 공간을 대관하려면 어떻게 해야 하는지 질문하였는데 별도의 대관료는 없지만 국회 의원만 빌릴 수 있는 자격이 있으니 국회 의원에서 요청하면 된다고 했다. 국회도 처음 가 본 마당에 아는 국회 의원이 있을 턱이 없어 안 되겠구나 생각했는데 뭔 욕심이 났는지 기필코 국회에서 공연을 진행하고 말겠다는 결심이 생겼고 국회를 나오자마자 지역구 국회의원에게 공연 기획과 대관 요청 문서를 팩스로 보냈다. 지역 주민들이 음악으로 하나되어 음악을 통해 행복과 즐거움을 느끼고 행복을 서로에게 나눈다면 지역 사회에도 행복 에너지를 나눌 수 있지 않을까 하는 마음에 일명 나눔의 행복 콘서트를 기획하고자 한다는 내용이었다. 시간이 흘러 낯선 번호로 전화가 왔다. 바로 지역구 국회의원실의 보좌관이었다! 팩스 내용에 대해 이런저런 질문을 하시던 보좌관님은 내용을 쭉 들어보시더니 국회로 한번 찾아오라는 말씀을 하시고 전화를 끊었다. 이게 웬일인가 싶어 소리를 질렀다. 약속 당일 처음 간 곳은 국회의 의원회관이었다.

까다로운 출입 절차를 받고 들어간 의원회관은 뉴스에서만 보던 국회의원들과 많은 사람이 바쁘게 움직이는 것이 마치 대한민국의 중심을 보는 듯해 가슴이 벅차올랐다. 꼭! 이 곳에서 연주하리라는 각오를 되새겼다.

(이 그림은 AI를 사용하여 그린 것입니다.)

마중 나온 보좌관님은 나에게 국회 여러 대관 가능한

시설들을 보여주시면서 만약 공연하게 된다면 관객이 얼마나 올 예정인지 질문하셨고 나는 당당히 천 명은 올 것 같다고 말씀드렸다. 무슨 자신감이었는지 본능이 국대답해 버렸다.

한참 고민하시던 보좌관님은 그럼 의원회관에서 가장 큰 공간인 다목적홀 대관을 추진해 보겠다고 말씀해 주셨다. 국회 시설 대관 자체가 선착순이기 때문에 원하시는 날짜에 맞출 수 있을지는 모르겠지만 온 정성을 쏟겠다는 말씀을 듣고 국회를 나왔다. 이미 일은 저질러 버렸고, 상황을 수습하기 위해 국회를 나오자마자 그날부터 나는 지역에서 활동하는 다양한 연주 단체를 검색해 찾고 접촉했다.

공연의 취지를 설명하자 많은 분들이 흔쾌히 참여 의사를 주셨다. 특히 아파트 주민들이 모여 아름다운 하모니를 내는 마을 합창단 푸르미합창단과 강서청소년회관 동아리로 시작하여 복지관 연주등 활발한 활동을 펼쳐나가는 강서필청소년오케스트라 그리고 지역을 대표하는 김포공항 직원들로 구성된 김포공항합창단과 ㈜한국공항 사내합창단, 관내 초등학교 학생 중 음악이 좋다면 누구나 참여 가능한 한별어린이합창단에 참여로 공연에 의미를 더했다. 오래 걸리지 않아 나는 그렇게 수백 명의 출연진을 구성할 수 있었다.

지역외에도 한양대학교 관현악 학생들과 추계예술대학교 성악과 특히 몽골학국유학생연합회까지 내국인

외국인 청년들과 오랜 역사를 가진 새문안교회 시니어스선교합창단, 100년의 역사를 가진 당일교회 찬양대 그리고 전문 연주자들 스페로스펠라와 전문 관현악 여성 그룹까지 많은 출연진 섭외에 성공한 나는 국회에서의 공연에 더 의미를 담아보고자 전 출연진 전체 합창을 기획하고 단원분께 제본기기를 빌려 전체 합창곡으로 선정한 악보들을 지문이 닳도록 제본해 악보집을 제작했다. 간단한 간식을 각 출연진 연습 시간에 맞춰 전달하면서 머리 숙여 공연의 성공을 위해 합심해 달라고 부탁드렸다.

(이 그림은 AI를 사용하여 그린 것입니다.)

음악은 진정성이 통한다. 그 진정성에 모든 출연진이 한마음이 되어주셨다. 열정밖에는 없었던 한 사람의 진정성을 보시고, 고가의 출연료가 있었던 것도, 대중에 잘 알려진 콘서트도 아닌 작은 한 개인의 시작이 전부인 콘서트였지만 음악이라는 공감대와 음악이 주는 행복함이 얼마나 큰 행복함인지 알고 계셨기에 흔쾌히 콘서트에 참여해주신 분들은 음악이 주는 행복이 얼마나 위대한 힘을 발휘하는지 알고 계신 듯했다. 특히 푸르미합창단 지휘자 선생님을 처음 뵜을 때가 떠오른다.

서울대를 졸업하신 분이셨는데 본인의 전공인 음악으로 주민을 위해 봉사하시는 훌륭한 분이셨다. 선생님 눈에 비친 나는 부족함투성이었을 텐데, 진심은 통하는 법인 걸까? 가진 건 열정과 패기뿐이었던 내 음악 이야기, 이 공연의 취지를 묵묵히 들어주셨고, 제 일인 양 도움을 주셨다.

공연 장소와 수백 명의 믿음직한 출연진을 확보한 나는 다음 스텝으로 재원 마련에 온 힘을 쏟았다. 먼저 가곡 작곡가로 활동을 통해 뵙게 된 여러 기업인 음악 가분들께 공연 소개와 도움 요청의 말씀을 드렸다. 그러던 중 예전에 뵀던 금융 대기업 대표 이사님으로부터 연락이 왔다. 이 분을 처음 뵌 건 대학생 시절 가곡 활동을 할 때였다. 공연 후 박스를 정리하고 계시기에 스텝이겠거니 짐작했는데 한 기업의 임원이시라는 귀띔을 듣고 깜짝 놀랐던 기억이 있다. 공연 뒤풀이로 들른 커피숍에서 대화할 기회가 있었는데 한없이 겸손한 모습으로 음악인들을 대해주셨다. 알고 보니 임원으로 바쁜 업무를 처리하는 와중에도 작곡가 겸 성악가로 활동하실 만큼 음악을 사랑하시는 분이었다. 예전에 작곡 프로그램 사용법 관련으로 작은 도움을 드렸었는데 그 기억이 좋게 남으셨던 모양이다.

(이 그림은 AI를 사용하여 그린 것입니다.)

본사로 와 상세한 설명을 해보라는 대표님 말씀에 벌써 후원이라도 받은 양 설레고 떨리는 마음으로 며칠 밤을 새워 기획안을 준비해 역삼동에 있는 사무실로 찾아갔다. 진지한 표정으로 공연의 취지에 귀 기울이시던 대표님은 담당 직원을 불러 흔쾌히 적지 않은 후원금을 주셨고 나는 온 힘을 기울여 훌륭한 연주를 선보이리라 다짐했다.

대기업 후원이라는 날개를 달자 근거 있는 자신감이 샘솟았다. 모교 대학 홍보실에 공연의 취지를 설명하고 후원을 요청했다. 모교 대학에서는 참여 학생들에게 장학금을 지원하는 방식으로 후원하는 방안을 제시했고 그렇게 성악과 20여 명이 공연에 참여하게 되었다.

다수의 성악과 학생이 참여하게 되어 규모를 갖추니 더욱 욕심이 생겼다. 서울의 한 대학교 관현악단을 섭외하고 팀파니를 대여해 공연의 모든 반주를 오케스트라 반주가 되게끔 했다. 악기 편성을 심포니급 구성으로 확대했고, 수백 명의 연주자가 함께하는 베토벤 합창을 전체 합창 부분에 넣어 웅장한 사운드를 연출했다. 거기에 대형교회 실버 합창단까지 합류하여 어르신들의 사랑과 지원도 아낌없이 받게 되었다. 손주 같은 사람이 고생한다며 십시일반 후원도 해주시고 공연 끝날 때까지 할아버님, 할머님의 마음으로 따뜻하게 대해 주셨다.

모든 준비를 마친 후 국회 대관 방법을 알려주신 출판사 대표님께 공연에 대해 말씀드렸다. 동시에 인쇄물에 관한 후원을 요청드렸는데 팸플릿, 포스터 등 홍보용 인쇄물 제작에 필요한 모든 부분에 후원을 약속하셨다. 더 나아가 이름만 대면 아는 기업들이 협찬 후원에 도움을 주셨다. 어떻게 소문이 났는지 국회의 여러 의원실에서 축사 참여 요청 전화도 받게 되었다. 감당할 수 있을지 걱정하던 차에 알고 지내던 사단법인 이사장님께서 국회와 문화관광체육부 후원을 받을 수 있도록 도움을 주셨다.

그렇게 나의 이름을 내건 '이일찬 음악감독의 나눔의 행복 콘서트'는 30여 곳의 유명 기업의 후원을 받게 되었고 수백 명의 출연진과 대학 오케스트라가 참여한 콘서트를 국회 의원 회관 대회의실에서 개최할 수 있게 되었다. 나의 공연 계획을 믿고 국회 대관을 진행해 주셨던 의원실에서도 대회의실을 사람들이 가득 채운 모습에 감탄하셨는지 표창도 주시고 원활한 진행을 위해 지원을 아끼지 않으셨다.

공연 당일 국회 대회의실은 수많은 관객으로 붐볐다. 공연의 하이라이트는 전체 합창이었다. 나는 마이크를 들고 객석과 무대를 누볐다. 사람들의 눈을 하나하나 마주 보며 노래로 축복해주었고, 사람들은 서로 향해 양손을 내밀고 축복해 주었다. 문자 그대로 나눔의 행복이었다. 가족합창 단원들끼리 음악으로 행복을 나누던 순간이 떠올랐다. 그때 뿌린 씨앗이 자라 지금의 결실을 맺었다고 생각하니 놀라웠다. 음악이 가진 힘의 대단함을 느끼는 순간이었다.

모든 출연진과 관객이 함께 부른 '그댄 행복을 주는 사람'은 이일찬 음악 감독의 나눔의 행복 콘서트가 성공적인 공연 브랜드로 성장할 수 있는 마중물이 되어 주었다. 국회 공연 이후 사방에서 러브콜이 쏟아졌고 나는 사회 이곳저곳에 행복을 나누는 음악회를 다수

기획하게 되었다. 이후로도 이일찬 음악 감독의 나눔의 행복 콘서트는 국회와 서울 시청에서 국군교향악단과 함께하는 대한민국콘서트, 육군사관학교와 함께하는 순국선열 음악회 등 매년 수많은 출연진과 함께 공연을 펼쳤고 국방부, 서울시 후원 유치와 해외 콘서트를 진행하는 등 7회를 마지막으로 대장정을 마칠 수 있었다. 이일찬 음악감독의 나눔의 행복콘서트의 의미는 음악으로 행복을 나눈다는 의미이다. 행복을 음악으로 나눌 때 어떤 작은 역사가 일어나는지 직접 보고 느낄 수 있는 소중한 경험이었다.

(이 그림은 AI를 사용하여 그린 것입니다.)

제2화 음악학원을 만나다
(어린이 음악학원 전략적 관점에서)

어느 정도 예상은 했지만 암담했다. 현실이라는 낭떠러지 앞에 아무 준비 없이 서버린 느낌이었다. 의대 등록금 다음으로 비싼 것이 음대 학비 아닌가? 학부 시절 내내 작품 활동에 매진했지만 지갑 사정은 쉽게 나아지지 않았다. 같은 등수로 콩쿨에 입상해도 연주자들은 공연 활동을 통해 높은 수익을 내는 반면 나는 작품 한 곡 연주하려면 연주자 사례비를 드려야 했다. 앞으로 먹고는 살 수 있을까? 라는 의문이 들 때마다 괴로웠다. 이대로라면 작곡을 직업으로 선택하기는 어려울 것 같았다.

그때 즘 교회 권사님께서 30년가량 운영하시던 음악학원을 정리하신다는 소식을 들었다. 노련한 학원 운영으로 많은 돈을 버시던 권사님의 모습이 뇌리에 스쳤다. 문득 '내가 저 학원을 인수하면 어떨까?' 하는 생각이 들었다. 앞으로 뭘 하며 살지 막막했는데 '어쩌면 이건 하나님이 주신 소중한 기회가 아닐까?' 생각도 했다. 기회를 놓치지 않으려는 마음에 육아 휴직 중이던 누나에게 학원 인수를 제안했고, 누나는 흔쾌히 동

의해 주었다. 2009년　12월, 우리는 설레는 마음으로
음악학원 교육사업에 뛰어들었다.

(이 그림은 AI를 사용하여 그린 것입니다.)

[1] 인수냐 신규냐 그것이 문제로다! with 인테리어

음악 학원 경영 컨설턴트로 활동하면서 가장 많이 받았던 질문 중 하나가 "학원을 인수할까, 아니면 새로 시작할까?"이다. SBS FM ′송은이 김숙의 언니네 라디오′에 고민 상담가로 나갔을 때도 비슷한 사연을 들었는데, 한 청취자가 자기가 일하는 음악학원의 인수 제안을 받고 고민 중이라는 사연이었다.

인수냐 신규 개원이냐! 음악 학원을 운영해본 적 없는 예비 원장님 입장에서 고민이 이만저만 아닐 것이다. 이에 성공적인 인수와 신규 개원을 위해 필요한 것들을 살펴보고자 한다.

먼저 인수의 경우 적정 권리금에 대해 정확하게 파악하는 게 중요하다. 이때 시선은 객관적이어야 한다.

학원을 양도하고자 하는 원장님 입장에서는 같은 업종에서 인수 제안이 오길 바랄 것이다. 다른 업종과의 매매를 체결하는 경우 적지 않은 원상 복구 비용과 악기 처분비를 지불해야 하기 때문이다. 요즘은 악기 처분도 쉽지 않다. 폐업 시, 부르는 게 값인 인건비 탓에 시설이나 바닥 권리금은 포기하고 원생 수에 비례하는 권리금만 요구하는 경우가 부지기수다. 따라서 현재의 수강생 수를 제대로 파악해야 하는데 이때 문제는 이를 정확히 파악하기가 불가능에 가깝다는 것이다.

이럴 땐 적정 권리금을 산정해 보는 게 좋다. 먼저 고정비 파악부터 해야 한다. 고정비는 매월 나가는 월세, 관리비, 인건비, 통신비 등이다. 고정비를 포함해 약 20%의 추가 수익을 보장할 만한 원생 수를 확보했다면 협상을 시도해도 좋다. 그러나 그 이하라면 냉정하게 다시 고민해 봐야 한다.

다음으로 이 학원이 왜 매물로 나왔는지 분석해야 한다. 가장 먼저 할 일은 학원 주변 학교에 재학 중인 전체 학생 수를 파악하는 것이다. 저출산으로 인해 학생 수는 매년 감소하는 추세이다. 이들을 주요 대상으로 하는 교육 서비스업 또한 전망이 매우 어둡다. 학원 주변 학교에 재학 중인 전체 학생 수가 적거나 입학률이 눈에 띄게 감소하는 중이라면 인수를 재고하는 것이 바람직하다.

(이 그림은 AI를 사용하여 그린 것입니다.)

권리금 액수와 학원이 매물로 나온 이유를 파악했다면 다음으로 건물 관리비를 확인해야 한다. 관리비 책정 비율은 건물마다 다르기에, 높은 관리비를 피하고 싶다면 관리 사무소나 임대인을 통해 직접 확인해야 한다. 기본적인 사항을 간과한 채 인테리어의 수준, 악기의 품질, 원생 수 등 가시적인 요소만 보고 인수하는 경우 낭패로 이어질 수 있다.

신규 개원 시 가장 큰 고민은 입지일 것이다. 이때 가장 눈여겨봐야 할 부분이 바로 다른 학원과의 인접성이다. 자녀에게 효율적인 학업 스케줄을 마련해주고자 하는 학부모라면 영어, 수학 등 타 학원과 인접한 음악 학원을 그렇지 않은 음악 학원보다 더 선호할 것이기 때문이다.

(이 그림은 AI를 사용하여 그린 것입니다.)

좋은 위치를 선정했다고 끝이 아니다. 인테리어가 남아있다. 먼저 비용을 살펴보자. 인테리어 비용은 방음 규모에 따라 다르게 책정된다. 따라서 방음이 필요한지 확인하는 것이 급선무다. 칸막이 시공만 하는 경우가 많았던 예전과 달리 소음에 대한 규제가 많아진 요즘 층간 소음 문제가 생길 경우 정상적인 학원 운영에 차질이 생길 수 있다.

만약 학원 자리 양옆 또는 위아래에 도서실이나 조용한 사무실, 학원이 있다면 꼭 그 자리에 들어가야 하는지 다시 생각해 보자. 주변 여건이 이러하다면 막대한 방음 비용은 비용대로 투자하고서도 민원에 대한 스트레스는 여전할 가능성이 있다. 반면 위층에는 댄스 학원, 옆에는 태권도장이 있고, 아래층에는 슈퍼마켓이 있다면 방음에 거금을 들일 필요는 없다. 주변 상황을 면밀히 관찰한 다음 방음의 필요 유무를 냉정하게 체크 해보고 필요하다면 완벽 방음을 목표로 공사를 진행하는 게 좋다.

공사로 들어가면 또 다른 문제가 생긴다. 방음 업체마다 시공 방식과 철학이 다르다는 점이다. 예로 한 층에 여러 업체가 들어와 있는 경우를 생각해 보자. 대부분의 경우 칸막이로 호실 구분만 된 채 천장은 하나로 연결된 구조일 것이다. 이럴 경우 벽면 방음을 아무리 완벽히 한다 해도 천장을 통해 사방으로 소리가 퍼질 수 있다. 이럴 땐 천장 방음도 꼼꼼히 해야 하는데 경험이 많은 시공업자라면 천장 방음 공사를 강조하겠지만, 경험이 얕은 업자는 벽면 공사만 진행하려고 할 수도 있을 것이다. 두 업자는 분명히 견적도 다르게 요구할 텐데 자신이 방음에 대한 정보가 부족하고 필요성을 잘 인식하지 못한다면 불만족스러운 결과로 이어질 확률이 높다. 낮은 견적에 혹해 엉뚱한 시공 업체를 결정할 수도 있고, 불완전한 방음 공사 탓에 학원 운영에 차질을 빚고 거액의 추가 공사 비용을 지출하게 될 수도 있다. 방음 공사와 필요성에 대해 확실히 공부하고 본인의 상황에 맞는 공사를 진행해야 추후 민원이나 추가적인 비용 소모 등의 리스크를 최소화할 수 있을 것이다.

(이 그림은 AI를 사용하여 그린 것입니다.)

인수냐 신규냐 이것이 문제로다! 인수든 신규든 무엇보다 중요한 건 적정 투자 금액이다. 보이는 것에 혹했다가 판단력이 흐트러져 과도한 권리금으로 낭패를 보기도 하고 고급스러운 인테리어에 눈이 멀어 무리하게 시설 투자를 하다 어려움을 겪는 경우도 많다. 그렇다면 적정 투자 금액은 어떻게 산출하는 게 좋을까? 인당 평균 레슨비를 알고 있다면 대략적인 추정이 가능하다. 수강생 1인당 음악학원 평균 레슨비는 14~16만 원 선이다. 단가가 낮은 붕어빵 장사에 수억 원을 투자하여 사업을 시작하지 않는 것처럼 평균 레슨비가 형성되어 있는 음악학원에 투자할 때도 나름의 기준은 있어야 한다. 음악 학원 레슨비가 영어 학원보다 높다면 누가 아이를 음악학원에 보내려고 하겠는가? 가성비 있는 투자로 수익을 얻어야 하는 게 음악 교육 서비스업이다. 보편적인 경우, 음악학원의 적정 투자 금액은 보증금 포함 5,000만~7,000만 원 정도이다. 시설비와 악기 구매 비용, 권리금, 보증금, 약간의 리모델링 비용이 모두 포함된 금액이다. 레슨비의 경우 지역적 차이를 고려한다 해도 어느 정도 상한선이 정해져 있기에 이보다 더 큰 금액을 투자하는 건 실패로 이어질 확률이 높다. 음악학원은 다른 학원에 비해 변수가 많다. 아이들 스케줄이 학원 일정들로 꽉 차면 거기서 제일 먼저 제외되는 게 예체능 학원이다. 부담되지 않는 커리큘럼과 학원비로 어필해야 학생들도 학원에 흥미를 느끼고 오래 다닌다. 요약하자면 현실적인 여건을 고려한 투자로 최대한 빨리 손익 분기점을 넘기는 것이 포인트다. 본인부터 사업의 재미를 느껴야 더 좋은 환경과 깊이 있는 가르침에 대한 고민도 머리에 들어올 것이다.

 마지막으로 인수든 신규든 건물 계약을 하면 대형 현수막과 홍보물 부착으로 새로운 시작을 알려야 한다. 가장 흔한 실수 중 하나가 홍보를 신경 쓰지 않고 있다가 개원을 한 이후에야 부랴부랴 뛰어드는 것이다. 유명 빵집은 인테리어 공사에 들어가기 훨씬 전부터 대형 현수막으로 오픈 일정을 알린다. 마찬가지로 학원의 경우 역시 홍보를 통해 개원 전 신규 원생부터 확보해야 초반 리스크 없이 운영을 시작할 수 있다.

(이 그림은 AI를 사용하여 그린 것입니다.)

[2] 학원 명을 정하라!

학원 인수 당시 나는 설렘에 부풀어 있었다. 내 이름을 내건 상호로 나를 브랜드화할 수 있다니 생각만 해도 뿌듯했다. '이일찬 음악학원'으로 상호를 정하자고 집요하게 누나를 설득하던 중! 불현듯 음대 입시 재수 시절 '홍길동 음대 입시 학원'을 다니던 시절이 떠올랐다. (물론 이는 비유다.) 화려한 스펙의 홍길동 원장님이 직강을 해 주실 거라는 기대감을 품고 등록했는데 이럴 수가! 첫 레슨을 해주신 선생님은 등록하고 처음 뵌 고길동 선생님이셨다. 이 학원이 홍길동 학원인지, 고길동 학원인지 혼란스러워질 때쯤 고길동 선생님의 레슨 열정이 서서히 식어 가는 게 느껴졌고 나는 그 즉시 학원에서 뛰쳐나왔다. 이때를 떠올려 보니 내가 모든 레슨을 진행할 것이 아닌 이상 나의 이름을 상호로 내거는 것은 위험한 일일지 모른다는 생각이 들었다.

수년간 학원을 운영해 온 지금, 그때의 선택은 옳았다고 본다. 음악학원은 다양한 악기 수업을 개설하고 여러 수업을 하나의 패키지로 묶어야 수익률이 높아지는데, 굳이 상호에 대표자 이름을 넣어 한 분야의 전문성만 강조할 필요는 없다고 생각하기 때문이다. 더구나 이일찬 음악학원이라고 상호를 지으면, 소비자 입장에서 대체 이 학원이 무슨 악기를 가르치는지 직관적으로 알기 어렵다.

(이 그림은 AI를 사용하여 그린 것입니다.)

　그럼 어떤 상호가 좋을까? 일단 브랜드화가 되기 전까지는 직관적인 상호가 좋을 것 같다. 예로 나는 가전제품을 살 때 브랜드가 주는 신뢰감으로 삼성이나 엘지 제품을 우선 선택한다. 고장 나도 A/S가 편리할 뿐아니라 왠지 고장도 잘 나지 않을 것 같은 신뢰감까지 들어서이다. 건설 브랜드를 따지며 이사를 하는 것이 보편화할 만큼 브랜딩이 중요한 요즘 성공적인 브랜드화로 음악학원이 잘 알려진다면 많은 원생의 선택을 받을 수 있을 것이다.

문제는 브랜드가 소비자들에게 각인되기 전까지는 수요자들이 학원의 존재 여부조차 모른다는 점이다. 그래서 처음에는 무조건 직관적으로 상호를 짓는 게 좋다. 예로 드럼을 배우고 싶은 학생에게는 '드럼' 광고 문구가 눈에 잘 띌 것이다. 관심이 없을 땐 안 보이던 것들도 관심이 생기면 "어! 여기에 있었네!" 하며 보이는 법이니까. 만약 다양한 음악 수업들을 개설해 운영할 계획이라면 학원 주변의 랜드마크나 듣자마자 기억에 남을법한 임팩트 있는 단어를 넣어 상호를 정하는 것도 좋을 것이다.

특정 분야 위주로 수업을 진행할 것이라면 '드럼학원'처럼 이름만 들어도 어떤 커리큘럼으로 무엇을 가르치는지 쉽게 알 수 있도록 정하는 것도 좋을 것이다.

그러나 학원명에 절대적 의미가 있는 것은 아니다. 이는 학부모 입장이 되어보면 금방 이해할 수 있다. 전문 교육이 아닌 취미 교육을 위해 음악 학원을 선택하는 경우 우선순위는 첫째, '학원이 학교와 가까운 곳에 있는가?' 둘째, '음악 학원 수업이 끝나면 바로 다음 학원으로 이동하기 쉬운가?' 셋째, '차량을 운행하는가?'일 것이다. 그 이후에 학원의 커리큘럼, 교육 방법, 레슨비를 확인한 후 최종 선택하는 경우가 많다. 선택에서 최우선 고려사항은 학생의 편의에 있지 상호에 있지 않다는 의미이다.

경험을 통해 알게된 음악학원 선택이유 4가지!

1	학교와 가까운 곳인가?
2	하원 후 그다음 학원과 가까운 곳인가?
3	차량운행이 되는가?
4	합리적인 레슨비? 커리큘럼? 전공 선생님 몇 명?

한편 동네 음악학원마다 하나씩 있다는 유명 클래식 작곡가의 이름을 붙인 상호도 그리 추천하지 않는다.

요즘 세대가 접하는 음악의 장르들이 다양해서일까? 오디션 프로그램이 홍수처럼 쏟아지고 이슈가 되면서부터 성악 수업보단 실용 보컬 수업을 찾는 수요가 더 많아졌다. 통기타 대신 일렉, 베이스 등 전자 기타를 배우고자 하는 수요 역시 급증했다.

그뿐인가 클래식 음악학과를 운영하던 4년제 음대들도 앞다투어 인기 실용 음악학과를 개설하는 추세이다. 교수님들은 그대로인데 과 이름만 클래식 음악에서 실용음악으로 변한 웃지 못할 해프닝까지 들려올 지경이니 실용음악에 대한 인기는 이미 넘사벽이라 볼 수 있다. 체르니 번호에 예민하게 반응하셨던 학부모님들의 성향도 점점 바뀌는 분위기다. 최근 들어 체르니보다 코드법을 먼저 가르쳐 달라는 요구가 늘고 있기 때문이다.

(이 그림은 AI를 사용하여 그린 것입니다.)

이러한 트렌드를 고려했을 때 클래식 관련 상호를 고집할 필요가 있을까 의문이 든다. 전통, 전문 음악 교육을 강조할 수 있다는 메리트는 분명하겠지만, 클래식 분야의 수요가 줄어드는 마당에 클래식 관련 상호를 내거는 것이 과연 효과적일까?

원장의 전공이 실용음악과 무관하더라도 실력 좋은 강사님을 모셔 수업을 진행하는 것으로 실용음악에 대한 수요를 감당할 수 있다. 그러니 한쪽 장르에 얽매여 상호를 짓는 것보다는 누가 들어도 기억에 남을 만큼 인상적이면서 다양한 장르를 포괄할 수 있는 상호를 짓는 것이 좋을 것이다.

상대방에 입장에서(학부모님, 원생) 생각하고 결정하라! 음악학원의 가장 중요한 성공비결 중 하나가 아닐까. 수요자들의 니즈를 반영한 직관적인 상호와 높은 품질의 교육 및 서비스가 결합한다면 성공적인 브랜드로 정착할 수 있을 것이다. 그것이 가장 잘 지은 상호이자 가장 성공적인 브랜딩 아닐까 싶다! 브랜드화에 성공한다면 학원명의 기준은 당신의 이름이 될 것이다.

(이 그림은 AI를 사용하여 그린 것입니다.)

[3] 경쟁력을 갖춘 옵션 커리큘럼 짜기!

학원 운영에 관심 있는 분들을 위해 나의 경험을 이야기하려 한다. 내가 인수했던 학원의 위치는 좋은 편이 아니었다. 교통사고가 잦던 학교 앞 도로 건너편에 있었고, 학원 옆 골목길 주변으로 무역 회사들이 늘어서 있어 차량의 이동량도 많았다. 게다가 주변에 다양한 학원 인프라가 갖춰져 있지도 않았을뿐더러 입구 초입에 고물상이 있어 큰 트럭들도 자주 지나다녔다.

설상가상 학교 주위로 신규 음악학원들이 하나둘 개원하고 있던 때라 위치적으로 마이너스인 우리 학원이 튼튼하게 뿌리내리기 위해서는 학부모님들의 선택을 받을만한 명확한 이유가 필요했다.

일단 아무리 좋은 마케팅도 자녀의 안전이 보장되지 않는다면 소용없으리라 판단! '학교 앞 안전픽업' 서비스를 제공했다. 하교 시간에 맞춰 학교에서 학원까지 선생님이 동행해 주는 서비스였다. 이 픽업 서비스가 신의 한 수였다. 학부모님들의 신뢰를 얻을 수 있었고 학원 홍보에 큰 힘이 되어 주었다. 제일 중요한 안전이라는 문제를 해결한 후 바로 훅을 날렸다. 피아노 레슨비 하향 조정과 수익을 보전할 수 있는 옵션 수업의 개설이었다. 여기서 "학원비를 낮추는 건 누구나 할 수 있지 않아요? 그건 좋은 방법이 아닙니다! 예체능 학원비 만 원 올리는 것도 얼마나 어려운 줄 아나요?!"

라고 말할 수 있다. 염려하지 않아도 좋다. 나는 레슨
비를 낮춰 고객을 더 많이 확보하는 데만 주력하는 저
가 전략을 말하려는 게 아니다. 수익을 보장하는 다양
한 옵션 수업을 통해 홍보와 수익이라는 두 마리 토끼
를 잡았던 비결을 공유하려는 것이다. 방법은 이러했
다.

(예)

<옵션강좌>

드럼	성악	합창단	통기타	베이스기타	바이올린
60,000	60,000	30,000	90,000	150,000	50,000
선택□	선택□	선택□	선택□	선택□	선택□

어린이피아노(주 3회반)		
피아노(40분)	이론(20분)	+ 악기수업
100,000원		

 일단 주변 학원보다 1~2만 원 피아노 레슨비를 낮췄
고 주 3회 수업반은 아예 대폭 레슨비를 낮췄다. 거기
에 더해 1만 원에서~5만 원까지 옵션 수업들을 개설
하고 패키지로 묶거나 개별 상품으로 선택할 수 있게
하여 선택 시 추가 수익을 낼 수 있도록 하였다.
 당신이 학원을 운영한다고 가정하고 위의 방법을 적
용해보자. 매일 반 피아노 레슨비가 한 달에 11만 원
이라면 우선 가격을 10만 원으로 조정해 가격 경쟁력
을 확보한다. 그리고 여러 옵션 수업을 추가로 개설한
다. 합창단 수업이 3만 원이라고 해보자. 피아노 레슨

을 수강하기로 한 학생이 합창단 수업을 옵션으로 선택할 경우 당신은 월 3만 원을 추가로 받아 총 13만 원의 월 수익을 올릴 수 있게 된다. 효율적인 단체 수업이 가능한 합창단을 옵션 수업으로 개설해 안정적인 추가 수익을 확보할 수 있도록 한 것이다. 개인 레슨이 아닌 일반적인 피아노 레슨의 경우 정해진 수업시간 동안 레슨과 개인 연습도 모두 이뤄지기 때문에 중간에 합창단 옵션을 진행하더라도 피아노 수업을 지장 없이 운영하는 게 가능하다.

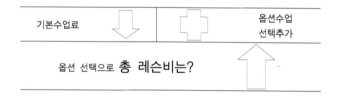

| 기본수업료 | | 옵션수업 선택추가 |

옵션 선택으로 **총 레슨비는?**

옵션 수업들은 아이들이 흥미를 느끼고 쉽게 배울 수 있는 악기들 위주로 구성하였는데, 대표적인 게 드럼이었다. 기본 박자만 알아도 웬만한 곡은 연주할 수 있고 다른 악기와의 합주도 가능해 옵션 수업으로 진행하기 적합했고 인기도 많았다. 금액도 월 6만 원으로 저렴했다.

기본 피아노 금액에서 6만 원만 추가하면 두 가지 악기를 배울 수 있으니 매력적인 게 당연했다. 학원은 월 1회 진행하는 드럼 옵션 수업으로 인당 월 6만 원의 추가 이익을 더 낼 수 있었다.

또한 수업 자체가 효과적인 홍보수단이 되기도 했다. 드럼 수업은 학원 중앙홀에서 진행했는데 건반과 합주하는 식으로 수업을 진행하다 보니 구경하는 학생들도 배우는 학생들도 공연장에 온 듯 즐거워하는 게 눈에 보였다.

수업 분위기 자체가 재밌고 편안하다 보니 금세 입소문이 돌았다. 드럼 수업을 수강한 원생이 친구에게 소개하고 흥미를 느낀 친구가 친구의 친구를 불러오는 등 선순환이 이어졌고 많은 학생을 유치할 수 있었다.

옵션 수업이 개인레슨으로 이어져 추가 수익을 얻기도 했다. 가령 옵션 수업을 듣다 악기에 관한 관심이 깊어진 원생이 피아노 레슨을 추가로 신청하는 경우 피아노 레슨비를 포함해 월 15만 원 이상의 추가 수익을 얻을 수 있었다.

(이 그림은 AI를 사용하여 그린 것입니다.)

개인레슨의 경우 장기 레슨으로 이어지는 경우가 많다. 그래서인지 취미반에서 입시반으로 전향하는 사례가 늘었고 그러자 입시 클래스도 활성화되었다.

또한 매주 금요일마다 음악 레크레이션 특별 수업을 진행했다. 매일반은 무료로 수업에 참여할 수 있도록 했지만 주 3회 피아노 클래스는 추가 비용을 받았다. 주 3회 클래스 레슨비는 비교적 낮게 형성되어 있기에 추가 비용을 받음으로써 수익성을 개선하고자 했다.

특별 수업을 구상하며 '특별함' 자체에 대해 계속 고민했다. 대다수 학원이 진행하는 특별 수업들은 전혀 특별해 보이지 않았다. 리코더, 단소 등 특정 악기와 관련된 수업을 특별 수업으로 개설하는 경우가 많았는데 그러한 수업들이 학생 시선에서 특별하게 느껴질지가 의문이었다. 아이들이 특별하게 느낄만한 수업은 어떤 게 있을까 거듭 고민했고 그렇게 나온 아이디어가 '금요 특별수업'이었다. 교과서에 나오는 작곡가를 소재로 단체 미션, 게임, 그림과 음악, 퀴즈, 음악 단어 숨은그림찾기 등을 진행하면 재밌으면서 유익한 수업이 될 것 같았다. 게임적 요소와 교육적 요소가 융합된 레크레이션 수업이라니! 학생들의 참여율과 호응도가 높은 건 당연한 결과였다. 학생들 입에서 특별 수업 때문에 학원에 간다는 말이 나올 정도였다.

수업에 재미를 느낀 학생들은 학교에서 교회에서 자랑하기 바빴다. 이보다 자연스러운 마케팅이 어디 있을까? 학원명이 담긴 수업 연주 영상을 직접 찍어 학부모님께 보내드린 학생들 덕에 학부모님들의 SNS 배경은 학원명이 담긴 영상과 사진들로 가득했다.

옵션 수업으로 시작했지만, 학원 발전과 홍보에 도움을 준 다른 수업으로 어린이합창단 수업이 있다. 노래를 좋아하는 학생들로 합창단을 구성해 수업했는데 그러다 보니 참여율도 높을 수밖에 없었다. 노래를 좋아하는 학생들 위주다 보니 자연스레 즐거운 수업 분위기가 만들어졌고 아이들의 실력도 나날이 발전해갔다. 아이들의 행복한 노랫소리는 그 자체로 하나의 콘텐츠였다. 파급력도 매우 컸다. 다른 지역이나 기관에서 러브콜을 보내기 시작한 것이다. 어린이합창단의 노래는 순식간에 학원 담장을 넘어 다른 곳까지 퍼져 나갔고 인지도가 높아지면서 무대 스케일도 덩달아 커졌다.

지역내 가장 큰 어린이 축제 개막초청 공연 및 지역 행사 축하 공연 등 활동을 하는가 하면 국회공연, 서울시청공연, 육군사관학교군악대 협연 등 굵직한 기관에서 무대를 하기도 했다. 전국 합창대회에 참가하고 입상하는 등 눈에 띄는 성과도 거뒀다. 그 덕에 어린이합창단은 지역 내 섭외 문의가 많은 합창단 중 하나로 자리 잡았다.

더욱이 합창단원으로 노래에 입문했다가 흥미를 느껴 마스터클래스, 입시 반으로 전향한 단원들이 예고와 음대 진학에 성공하는 사례도 늘어나기 시작했다. 학원의 체계적인 교육 시스템과 학생들의 적극적인 참여가 시너지를 냈기에 가능한 일이었다. 이러한 실적 덕에 우리 학원은 취미부터 음대 입시까지 아우르는 음대 입시 전문학원으로 자리매김할 수 있었다.

피아노 레슨비 할인을 통한 반짝 성공에 안주하지 않고, 여러 옵션 수업들을 구상해 수익 루트를 다양화했기에 이런 성과를 거둘 수 있었다. 옵션 커리큘럼의 성공 비결은 좋은 관찰력에 있다. 수강생들이 어떤 생각으로 수업을 신청하는지 수업에 원하는 것이 무엇인지 알아야 하기 때문이다. 수강생들의 대화 속에서 옵션 수업 커리큘럼 구성을 위한 힌트를 찾을 수도 있다. 예컨대

"야! 너는 몇 개 배워?"

"나는 피아노도 하고 태권도, 미술, 바둑 이렇게 4개나 배워!"

"뭐야, 나는 10개 배우거든?"

우리 학원 수강생들은 이런 대화를 주고받는 경우가 많았다. 이 대화를 잘 살펴보면 아이들이 배우는 과목 수로 경쟁하고 있다는 걸 알 수 있다. 수업이 재미있다 보니 더 많은 수업을 듣는 건 자연스레 자랑거리가 된다. 우리 학원에서 제공하는 옵션 수업 패키지를 활용하면 세 종류의 음악 수업을 가격 부담 없이 받을 수 있었다. 이는 일 석 삼조가 아닌가! 학부모님 입장에서도 학생 입장에서도 솔깃한 조건일 수 밖에 없다. 좋은 관찰력을 통해 수강생들과 학부모님의 니즈를 만족시킨다면 좋은 결과를 낼 수 있을 거라 장담한다.

(이 그림은 AI를 사용하여 그린 것입니다.)

　음악가 이일찬의 '음악이 쓸모를 만났을 때'

[4] 음악 감성 놀이터, 교육의 철학을 바꾸다!

자녀를 음악 학원에 등록시키는 대다수 학부모님의 바람은 아이가 음악을 통해 스트레스를 해소하고 즐거운 취미 생활을 하도록 돕는 것일 것이다.

여기서 생각해 봐야 할 것이 가르치는 방식이다. 가르치는 내용이 아무리 훌륭하더라도 가르치는 방식이 적절하지 못하다면 아이들은 취미 생활에서 즐거움을 느끼기는커녕 고통을 느끼게 될 것이고 자연스레 하나둘 학원을 떠날 것이다.

당신의 교수법은 어떤가? 음악을 통해 스트레스를 해소할 수 있게끔 적절히 지도하고 있나? 아니면 혹시 음악을 생각하기만 해도 지긋지긋해서 그만두고 싶게끔 가르치고 있지는 않은가?

가령, 긴 곡을 외워서 칠 수 있게끔 반복하는 데만 집중하거나 자세와 손가락 모양 등 기본에 집착하며 학생보다 더 큰 목소리로 조용히 시키며 음악을 가르치고 있지는 않은가?

예전에 학원을 방문하셨던 학부모님 중 한 분께서 "어머! 이 학원은 정신이 없는 것 같아요!"라고 말씀하신 적이 있다. 그 말씀에 "어머님! 모든 레슨은 피아노 방에서 개인으로 이루어지고 있어요. 지금 보시는 공용 공간은 아이들이 마음껏 떠들고 노래할 수 있는 공간입니다. 음악 덕에 웃고 떠드는 아이들의 즐거움을 억제하는 학원은 좋은 음악학원이 아니라고 생각합니다!" 라고 대답한 적이 있다.

(이 그림은 AI를 사용하여 그린 것입니다.)

어린 시절 즐겁게 놀던 놀이터를 떠올려 보자. 힘들거나 배가 고파도, 밀린 숙제 탓에 근심이 이만저만 아니더라도 놀이터에만 가면 그런 걱정일랑 다 잊고 즐겁게 놀지 않았는가! 학원을 놀이터처럼 즐거운 곳으로 만들면 아이들도 학원에 오고 싶어할 거라 생각했다. 음악학원 슬로건을 '음악 감성 놀이터'로 정한 이유도 흥미로운 학원 분위기 조성을 위해 최선을 다한 이유도 여기에 있다.

그럼 학원 분위기는 누가 만드는 것일까? 바로 원장과 선생이다. 원장과 선생이 아이들을 다정하게 대하면 학원 분위기도 자연스레 포근해진다. 반면 아이들의 실력향상만을 중시하여 엄격하게만 대한다면 학원 분위기도 순식간에 딱딱해질 것이다. 나는 학원 아이들을 친근하게 대하려 노력했다. 내가 아이들에게 친근하게 다가가야 아이들도 학원을 친근하게 여길 거라 생각했기 때문이다. 원생의 부모님께서 "이제 음악 학원 그만 다녀라!" 라고 말씀하셔도 "나는 음악학원 계속 다닐 거야!" 라는 대답이 원생에게서 나올 수 있도록 온 힘을 쏟았다.

매주 금요일에 진행했던 특별수업도 그 일환 중 하나다. 평소의 수업과 달리 특별수업 시간이면 게임과 레크리에이션을 혼합한 수업을 진행했고 그 결과 아이들의 열렬한 호응을 얻을 수 있었다. 수업 외적으로도 변화를 주었다. 매주 책상과 책장의 위치를 바꿔가며 분위기를 환기하는 등 학원 전체가 아이들의 호기심을 자극하는 흥미로운 공간이 될 수 있도록 했다.

교육적 측면에서 가장 획기적인 변화는 피아노 분량제였다. 작곡가인 내가 보기에 악보는 글씨와 닮은 구석이 제법 많다. 이는 한글을 어떻게 배우는지 생각해 보면 이해하기 쉽다. 우리는 같은 문장을 한 달 내내 읽는 방식으로 한글을 배우지 않는다. 문장 암기가 아니라 문장 읽기가 언어능력 발달에 더 효과적이기 때문이다. 이와 마찬가지로, 피아노 교육에서도 한 곡을 완벽하게 마스터하는 것보다 다양한 곡을 접하고 연주해 보는 것이 음악적 성장에 더 도움이 된다. 악보 역시 하나의 언어이기에 초견 능력*을 기르려면 여러 악보를 자주 접하고 쳐 봐야 한다.

'완벽'에 집착하면 '흥미'와 '자연스러움'을 놓치게 된다. 아이들에게 완벽한 연주를 요구하는 스파르타식 수업은 단기적인 관점에서 보면 실력 향상에 도움이 될 수 있겠지만, 장기적인 관점에서 보면 아이들의 음악에 대한 흥미와 열정을 잃게 할 수 있다. 이런 방식의 수업을 지속했다간 아이들이 악보만 봐도 숨 막히는 기분을 느끼게 될 것이다.

피아노 분량제라는 새로운 접근법을 도입한 건 이러한 이유 때문이다. 피아노 분량제의 의의는 다양한 악보를 접하고 즉흥적으로 연주해 보는 경험을 아이들에게 제공하는 데 있다. 이를 통해 아이들의 음악적 사고를 더 유연하게 하고 음악적 역량을 강화하는 것이 피아노 분량제를 실시했을 때 얻을 수 있는 최대의 이점이다. 요약하자면 피아노 분량제는 '한 곡을 완벽하게 연주하는 것' 대신 '낯선 여러 악보와 만날 수 있는 기회를 최대한 많이 제공하는 것'에 포커스를 둔 수업 방식이다. 나는 아이들에게 당장의 연주가 완벽하지 않아도 괜찮다는 걸 알려주고 싶었다. 즐겁게 연습하다 보면 실력은 자연스레 올라가는 법이니까. 커리큘럼을 짤 때도 완벽에 집착하지 않으려 유의했다. 아이들이 40분 동안 연주할 수 있는 분량의 악보를 제공하고, 완벽하지 않더라도 악보를 읽으며 연주할 줄 알면 다음 곡으로 진도를 나가는 방식으로 수업했다. 물론 아이가 특정 곡을 좋아해서 계속 연습하고 싶어하는 경우에는 40분이 지나도 원 없이 칠 수 있도록 했다. 자연스러움과 즐거움을 동시에 갖춘 수업이 될 수 있게끔 했다.

이론 학습의 경우에도 지루한 깜지 채우기 방식 대신 개인별 수준에 맞게 학습지를 풀 수 있도록 분량제 방식을 채택해 이론 수업의 지루함을 최소화하려고 노력했다.

그간의 이론 수업들은 지나치게 학술적인 측면에 치우쳐 실제 연주와 괴리가 큰 경우가 많았다. 예컨대 여러 학원에서 강조하는 계이름 암기의 경우, 많은 시간과 노력을 할애해야 하는 데 반해 실용성이 크지 않다. 한글을 완벽하게 익히지 않아도 의사소통이 가능한 것처럼, 피아노 연주를 위해 모든 계이름을 알 필요는 없다. 아이들이 말을 배우면서 자연스럽게 글자를 읽고

쓰는 법을 터득하듯, 피아노 연주를 하다 보면 계이름도 자연스레 익히고 이해할 수 있다. 미취학 어린이들이 한글과 계이름을 몰라도 피아노를 칠 수 있는 건 바로 이런 이유 때문이다.

이론 수업이 실제 연주를 가로막는 벽처럼 느껴지지 않게끔 나는 이론 학습과 실제 연주 사이의 적절한 균형을 찾고자 노력했다. 소화할 수 있을 만큼의 분량 학습지를 풀게 하고 100점을 맞았다면 원하는 곡을 연주할 수 있게끔 자유 시간을 허락했다.

이런 노력의 결과, 학원은 아이들의 웃음소리가 끊이지 않는 힐링 장소로 탈바꿈했다. "다른 학원은 다 그만둬도 음악 학원만큼은 꼭 계속 다닐 거예요!"라는 말이 아이들 입에서 나올 만큼, 음악 학원은 단순한 교육기관을 넘어 즐거움과 행복을 느낄 수 있는 특별한 공간이 되었다.

* 악보를 보고 즉시 연주할 수 있는 능력

[5] 악기에 손때 타더라도 괜찮아요

그다지 멀지 않은 과거, 5호선 송정역 근처에는 중고 피아노를 중국으로 수출하는 업체가 있었다. 컨테이너에는 피아노와 피아노 의자가 가득 쌓여 있었는데 대부분 인기 있는 국내 브랜드의 업라이트 피아노들이었다. 당시 나는 음악 학원 3호점을 개원하면서 인테리어를 어떻게 해야 할지에 대한 감각과 노하우를 익힌 상태였지만, 피아노 구입 비용이 부담되는 상태였다. 혹시나 하는 마음에 무역 업체를 찾아갔고, 사장님과 이런저런 이야기를 나누면서 중고 피아노 유통 구조를 알게 되었다.

2000년대에는 가정에 업라이트 피아노가 있는 집이 많았다. 취미로 구입했지만 어느 순간 애물단지로 전락해 버린 피아노를 처분하고자 하는 사람들이 많았다. 안 그래도 수요가 늘어난 마당에 중국에서는 피아노 열풍까지 불기 시작했다. 운반 업자와 도매업자들은 물량 확보를 위해 경쟁하듯 비용을 지불하고 중고 피아노를 구매했다. 좋은 시절이었다. 이때는 양쪽 모두 이득을 얻는 거래를 하기 수월했다.

3호점을 개원할 때만 해도 중국 수출 도매 업체에서 질 좋은 피아노를 값싸게 쉽게 구매할 수 있었다. 가정에서 매물로 나온 피아노를 도매업자에게 넘기기 전,

운반 사장님께서 미리 연락을 주시는 일도 있었다. 그 덕에 상태 좋은 업라이트 피아노 15대를 도매가보다 더 저렴하게 사들일 수 있었다.

하지만 요즘은 상황이 달라졌다. 먼저 무겁고 민원이 잦은 업라이트 피아노보다 가볍고 저렴한 전자 피아노를 선호하는 사람들이 늘어났다. 게다가 피아노 한 대를 처분하려 해도 적지 않은 비용을 내야 하다 보니 피아노 매물들을 중고나라 카페와 당근 등에 무료 나눔 형식으로 내놓는 경우가 많아졌다.

소매업을 통해 안정적으로 피아노를 구입하는 것도 가능하지만, 초기 투자 비용이 부담된다면 가정에서 사용한 중고 피아노를 구입하는 것도 좋은 방법이다. 보관 상태가 좋을 뿐 아니라 운반비만 부담하면 되기에 가격 역시 저렴하다. 인터넷으로 열심히 발품을 판다면 상태 좋은 피아노를 합리적인 가격에 구할 수 있을 것이다.

(이 그림은 AI를 사용하여 그린 것입니다.)

드럼이나 전자 악기의 경우에는 인터넷 검색을 통해 비교 견적을 해보는 것이 좋다. 사업자 등록 번호만 있다면 도매 악기상을 통해 도매 비용으로 구입하는 것도 좋은 방법이다,

좋은 브랜드의 값비싼 악기를 구비해 놓는 건 분명 좋은 일이고 음악가가 악기 욕심을 내는 것 또한 당연한 일이다. 문제는 음악의 기초 단계를 배우는 학생들에게는 악기보다 중요한 것들이 있다는 점이다. 악기가 아무리 좋은들 교육자의 마인드가 엉망이라면 무슨 소용이 있을까?

예로 어떤 학원에서는 그랜드 피아노에 시커먼 가죽 커버를 씌워 놓고 '접근 금지'라는 문구를 붙여 놓았다는데… 악기를 아끼고 소중히 여기는 마음은 이해되지만, 만지지도 못할 고급 악기를 학원에 들여놓는데 무슨 의미가 있을까?

음악 학원의 악기는 아이들이 마음껏 가지고 놀 수 있는 장난감이어야 한다. 고가의 브랜드 악기보다는 가성비 좋은 악기들을 구비해, 아이들이 자유롭게 연주할 수 있도록 허용하는 것이 좋을 것이다.

[6] 다시 한번

앞서 몇 번 강조했지만, 음악 학원 운영은 절대로 쉽지 않다. 경쟁이 치열한 예체능 교육 서비스업에 속할 뿐 아니라 끝없이 영리를 추구해야 하기 때문이다. 한때 화려한 음악가가 되어 무대의 주인공이 되고자 한 적도 있었지만, 이 일을 제대로 하기 위해서는 그런 욕심부터 내려놓아야 했다.

'남의 돈 먹기 쉬운 줄 아나?'라는 말처럼 돈 버는 일에 쉬운 것은 없다. 성공 확률을 높이기 위해서는 먼저 스스로를 객관적으로 들여다보아야 한다. 내가 올바른 사업가의 마인드를 갖추고 있는지, 운영 능력과 홍보 마케팅 능력을 갖추고 있는지 점검해 보아야 하고, 나는 아이들을 사랑해 줄 수 있는 사람인지, 가르치는 일이 적성에 맞는지 충분히 고민해 보아야 한다.

(이 그림은 AI를 사용하여 그린 것입니다.)

"운영이 잘되지 않으면 내 연습실로 쓰면 되지" 라는 생각으로 맘 편히 학원을 운영한다면, 원생들은 얼마 지나지 않아 학원을 떠날 것이다. 그렇기에 책임감 있는 경영자로서 이 사업의 성공을 위해 전력을 다할 준비가 되어 있는지, 거기에 필요한 능력을 충분히 갖추었는지 냉정히 판단해야 한다.

음악 학원의 전망은 그다지 밝지 않다. 학생 수는 매년 감소하는 반면 학원은 넘쳐나기 때문이다. 건물마다 2~3개씩 있는 음악 학원들끼리 한정된 파이를 나눠 먹는 건 어제오늘 일이 아니다. 파트타임 선생님의 인건비도 예전 같지 않다. 선생님들의 시급은 학생당 월 15만 원 정도의 수강료를 받는 음악 학원에서 감당하기 어려운 수준에 이르렀다. 월세, 관리비 등 고정 지출 역시 부담이다. 24년 올해는 고금리, 고물가에 가정 지출도 늘어나 소비자 심리가 크게 위축되었다. 가뜩이나 가정 형편이 어려워진 마당에 소비자들이 늘어난 학원 수강료를 보게 된다면 어떤 반응을 보일까? 높은 수강료가 주는 부담감을 상쇄할 만큼 특별한 메리트가 없다면, 음악 학원은 소비자들로부터의 외면을 피하기 어려울 것이다.

게다가 청산도 쉬운 일이 아니다. 권리금을 받는 기준이 명확하지 않아 만족하기 어려운 권리금을 받고 울며 겨자 먹기로 청산하는 일도 제법 흔하다. 만만하게 생각하고 학원 사업에 발을 들였다가는 이러지도 저러지도 못하는 처지에 놓일 확률이 높다. 만반의 준비를 해도 성공하리란 보장이 없는 게 음악 학원 사업이다. 자신만의 경쟁력 있는 아이템을 확보하지 못했다면 섣불리 진입하기보다 다음을 기약하길 추천한다.

(이 그림은 AI를 사용하여 그린 것입니다.)

제3화 음악과 기술이 만나다

(진로 선택의 관점에서)

DAW(Digital Audio Workstation)중 LOGIC은 가장 널리 쓰이는 작곡 프로그램이다. 수년 전 버전을 업그레이드하며 대대적으로 홍보한 분야가 있는데 바로 Drummer Tracks였다. 세계적인 드러머의 연주 패턴을 알고리즘으로 분석하여 음악의 템포와 셈 여림에 맞춰 자동으로 연주해줄 뿐만 아니라, 마우스 커서를 이용해 연주 형태도 자유롭게 조정할 수 있게 해주는 기능이 었는데 드럼으로 음악을 시작한 나에게 이 기능은 매우 흥미롭게 느껴졌다. 드럼 악기에 대해 문외한이더라도 마우스 클릭 몇 번만으로 세계적인 드러머의 훌륭한 연주를 녹음할 수 있게 된 것이다.

기존의 방식으로 리얼 드럼 사운드를 담는 과정과 Drummer Tracks로 드럼 사운드를 담는 과정을 비교해보면 확연한 차이를 느낄 수 있다. 기존 방식으로 드럼 사운드를 담으려면 작곡가가 모든 걸 직접 해야 한다. 드럼이 있는 전문 스튜디오 대관, 드럼 파트보 제작, 드럼 세트를 구성하는 모든 악기에 드럼 전용 마이킹 설치 등을 총괄해야 하고 밸런스 및 음색 조정이 끝나면 드럼 전문 연주자를 통해 녹음해야 한다. 여기서 끝이 아니다. 노이즈 제거 및 믹싱, 마스터링 작업까지 완료해야 비로소 리얼 드럼 사운드를 얻을 수 있다. 이런 복잡한 과정을 마우스 클릭 몇 번으로 손쉽게 처리할 수 있다니 실로 대단한 기술이 아닌가! 게다가 일일이 수정하기 어려운 리얼 사운드와 달리 Drummer Tracks로 담은 사운드의 경우, 미세한 수치를 조정해가며 마음껏 편집할 수 있어 이전보다 원하는 스타일을 구현하기 훨씬 쉬워졌다. 작곡가의 귀중한 시간과 비용을 아껴줄 뿐 아니라 작곡 외 스트레스까지 대폭 줄여줄 수 있는 혁신적인 기술이 등장한 것이다.

다양한 기업에서 개발 중인 가상 악기의 세계는 더욱 놀랍다. 가상 악기란 컴퓨터 음악에 사용하기 위해 숨 막히는 악기 소리를 디지털로 구현한 것인데, 가상 악기와 숨 막히는 악기의 구분이 가능했던 전과 달리 요즘은 소리만으로 둘을 구별하기 어려울 만큼 섬세한 표현이 가능해졌다.

가장 놀라웠던 건 현악기다. 연주 주법이 다양한데다 세밀한 음악적 표현법이 많은 악기라 디지털로 구현하기 어려울 거라 생각했는데, 간단한 마우스 조정과 키보드 휠 조정으로 실제 연주자가 연주한 것 같은 사운드를 구현하는 게 가능했다. 그뿐만 아니라 녹음실이나 공연장의 크기에 맞춰 음향 조정을 다르게 하는 것도 가능해, 완벽에 가까운 현악 오케스트라 사운드를 구현할 수 있었다. 조정과 편집도 편리했다.

10여 년 전 음대 시절, 가상 악기 발전에 놀라워하던 선배들의 표정이 떠오른다. 지금의 가상 악기는 그때와 비교도 안 될 만큼 성능이 발전했다. 작곡한 음악을 번거로운 과정 없이 리얼 연주 사운드로 제작할 수 있으니, 한번 가상 악기를 다뤄본 작곡가라면 웬만해서 리얼 사운드 녹음을 찾지 않을 것 같다.

비용 면에서도 가상 악기가 훨씬 유리하다. 내가 구매한 현악기 가상 악기 사운드의 가격은 100달러였다. 실제 연주자를 고용했다면 2~3배의 가격과 녹음실 등의 부가 비용이 들어갔을 것이다. 리얼 악기와 소리로 구별하기 힘들 만큼 정교해진 가상 악기를 두고 리얼 악기를 고집해야 할 필요가 있을까?
한 가지 더! 가상 악기에서는 프로그램 호환도 가능하다. 나는 작곡을 할 때 주로 페이퍼를 활용하는 편이라, 악보를 만들어주는 사보 프로그램을 애용한다. 악보를 프로그램에 입력후 출력 소스를 미디파일로 하면 바로 미디 프로그램을 통해 리얼 사운드를 구현해준다. 그뿐인가! 손으로 사보한 악보나 페이퍼로 되어있는 악보를 스캔하면 자동으로 악보를 그려주는 기술까지 지원해주는데다, 프로그램 가격도 20만 원 중반 정도로 내 작업 기준 두 달 치의 사보 아르바이트 비용이면 구할 수 있어 내 작업 속도에 맞춰 구인 스트레스 없이 작업할 수 있으니 이 얼마나 편리한 기술인가!

이것도 모자라, AI는 어느덧 창작의 영역까지 넘보고 있다. 작곡에만 국한되는 이야기가 아니다. 미술 분야에서는 이미 텍스트 몇 자만 입력하면 고퀄리티의 이미지를 생성해주는 AI가 도입되었다. 이는 관련 직업군에 상당한 영향을 끼칠 것으로 보인다.

실제로 한 게임 업계 대표의 강연에서 AI가 만드는 이미지가 기존 디자이너의 역량을 넘어선 지 얼마 지나지 않아 기존 디자이너가 일을 그만두게 되었다는 이야기를 들은 적이 있다. 운영자의 입장에서 24시간 일할 수 있으면서 수초 만에 뚝딱 작품을 만들어내는 AI 디자이너의 등장을 안 좋게 볼 이유가 있을까?

최근에는 AI 챗봇으로 잘 알려진 기업에서 텍스트 입력만으로 디테일이 풍부한 고퀄리티 영상을 만들어내는 기술을 선보였다. 사람의 목소리를 그대로 구현할 수 있는 기술도 등장해 가수의 영역까지 위협하는 판국에 현재에 안주하는 중인 음악가라면 앞으로 좋아하는 일을 계속하려면 어떻게 해야 할지, AI의 발전으로 인한 위기에 어떻게 대응할 것인지 방안을 모색하는 게 좋아 보인다.

어떤 이는 디지털 기술의 발달로 사람들이 오히려 클

래식 음악을 더 찾게 될 것이라고 주장한다. 그 말도 분명 일리가 있다. 하지만 중요한 것은 현재의 음악 기술과 곧 다가올 AI의 역할이 음악 예술에 어떻게 활용되고 발전할 것인지를 예측해야 적절한 대처와 시장 선점이 가능하다는 점이다.

 기본에 충실해야 좋은 음악가가 될 수 있다는 말에는 물론 동의한다. 음악 이론과 화성학적 기반이 없다면 좋은 작품을 만드는 데 분명 어려움이 있을 것이다. 하지만 그것이 전부는 아니다. 나는 음대 입시 요강에 실기 과목뿐만 아니라, 졸업 후 사회 구성원으로서 어떻게 살아가야 하는지에 대한 진로 관련 인터뷰도 포함되어야 한다고 생각한다. 수많은 음대생에게 선배 음악가들이 사회에서 어떻게 살아가고 있는지 알려줘야 하지 않을까?
 다행스럽게도 일부 대학에서는 이미 진로에 관한 강의를 진행하고 있다고 한다. 이는 매우 환영할 만한 일이다. 진로 강의를 전공 필수 과목으로 지정하여 모든 학생이 수강할 수 있도록 하고 현실적인 정보들을 제공한다면 예비 음악가들이 주체적으로 미래를 설계하는 데 도움이 될 것이다.

 다시 한번 음악가의 길을 걷고자 하는 친구들에게 강조하고 싶은 점은, 기술에 대한 이해가 음악가의 미래를 볼 수 있게 해줄 것이라는 사실이다. 기본에 충실하되 미래를 내다볼 줄 알고, 진로에 대한 시뮬레이션을 충분히 해 본 후 결정하는 것이 좋겠다.

(이 그림은 AI를 사용하여 그린 것입니다.)

나 자신의 이야기로 돌아가 보자. 2024년 현재 나는 음악의 미래 가치를 더욱 깊이 고민하게 되었고, 기술과 음악의 만남이 인류에게 더 큰 선물이 될 수 있도록 이바지하고자 음악 과학자의 꿈을 키우며 전진하고 있다. 음악과 과학을 융합하여 새로운 기술을 개발하고, 이를 통해 음악의 가치를 높이는 역할을 하고자 한다. 음악 과학자로서 음악의 본질을 탐구하고, 이를 바탕으로 새로운 기술을 개발하여 음악의 미래를 열어가는 데 일조하고 싶다.

만 40세, 돌이켜보면 음악가로 세상을 살아왔다는 것은 기적과 같은 일이었다. 한 우물만 열심히 파는 음악가도 아니었다. 명함을 제작할 때마다 직책을 다 넣어야 하나 매번 고민했다. 앞만 보고 달리다가 막다른 길에 들어서면 옆으로 달렸다. 달리면서 옆길도 보면서 달렸다. 마치 피할 곳을 미리 보듯이. 당장의 이익보다는 미래 가치를 더 생각하며 달렸다. 그건 지금도 그렇다. 어떤 사람들에게는 어리석을지 몰라도 그렇게 했다. 만 40세, 이 책으로 기록을 남기는 이유도 과연 미래 가치를 두고 뿌린 씨앗들이 어떤 열매를 맺어 돌아올지 미래 결과에 대해 궁금해서이기도 하다. 과연 이일찬의 '음악이 쓸모를 만났을 때' 2권, 3권에 또 어떤 이야기가 담길지 궁금하다.

(이 그림은 AI를 사용하여 그린 것입니다.)